EL DIARIO DEL MIMOSA

Dyddiadur Mimosa

Golygwyd a chyfieithwyd gan Elvey MacDonald

El Diario Del Mimosa

Editado y traducido por Elvey MacDonald

Argraffiad cyntaf: Tachwedd 2002

Rhif Llyfr Safonol Rhyngwladol:
0-86381-797-1

Cynllun clawr: Sian Parri
Llun clawr: Y Mimosa

Argraffwyd a chyhoeddwyd gan
Lyfrgell Genedlaethol Cymru a Gwasg Carreg Gwalch,
12 Iard yr Orsaf, Llanrwst, Dyffryn Conwy, LL26 0EH.
☏ *01492 642031*
🖷 *01492 641502*
🖱 *llyfrau@carreg-gwalch.co.uk*
lle ar y we: www.carreg-gwalch.co.uk

Llywodraeth Cynulliad Cymru

LlGC NLW LLYFRGELL GENEDLAETHOL CYMRU
Aberystwyth www.llgc.org.uk

HANES
FY MYNEDIAD I
PATAGONIA.

Dydd Llun, Ebrill

Llawrth 19^{eg} 1865. Ymadewais yn bur
sydyn o Ddinbych i fyned tua Phatagonia.
Y dydd hwn yr hysbysais fy mwriad yn Ninbych
gyntaf—tua ond braidd yn yr swyddfa a fy Mattergig
Ar ôl ciniaw yr hysbysais Mr. Gee o fy mwriad
pan euthym i geisio y nghyflog am yr ysthrum
a aeth heibio. Byddaf wrth tela cyn ciniaw
o fy nghyflog cyn un o'r gloch—ond ryw yn neu gilydd
ni wnaeth y tro hwn. Cynghorai ef fi i aros
hyd nes yr elai y pintai nesaf er bod
cyfrif, fel y cawswn weled beth fyddai
dynett y pintai gyntaf yma. Ymddangosai
yn teimlo yn gryf iawn o blaid nes hyd yr
ail pintai. Gofynnai i mi a oeddwn wedi arw
myned, pryd yr atebais yn galonkuol fy
mod cystal a hynyg; a phan welod fy mod
wedi llwyr fwriadu myned dywedodd y
cytthunai (settlai) a mi ar ôl hersod tu talu

Cyflwyniad

Antur ffôl oedd ymfudo i Batagonia. O leiaf, dyna farn gwrthwynebwyr y Mudiad Gwladychfaol Cymreig. Byddai neb yn ei iawn bwyll am fentro i wlad eang a phrin ei thyfiant lle nad oedd glaw nac afon na llyn yn gwlychu ei phridd – pridd na fedrai gynnal bywyd planhigyn, heb sôn am anifail a dyn. Nid oedd angen mwy na chofio sylw Darwin: *'The curse of sterility is on the land'*.[1]

Yn wahanol i daleithiau Gogledd America, hoff gyrchfan ymfudwyr ewropeaidd, nid oedd hon wedi ei gwladychu ac nid oedd neb, ac eithrio 'ychydig o Indiaid',[2] yn byw ynddi. Dyna'n union oedd ei rhagoriaeth ym marn pleidwyr y mudiad – daear wyryf y gellid ei diwyllio a chreu arni'r Gymru Newydd, rhydd a Christnogol y breuddwydient mor angerddol amdani, gwlad lle byddai'r Cymry yn 'elfen ffurfiol' a phob cenedl arall yr 'elfen dawdd', chwedl arweinydd y mudiad. Ond credai eraill fod peryglon mawr i fywyd a buchedd Cristnogion protestannaidd wrth fentro i wlad 'baganaidd'. Beirniadwyd Michael D. Jones a'i gefnogwyr yn hallt, a chyhuddwyd hwynt o fod yn anghyfrifol wrth arwain aelodau'r fintai gyntaf yn ddall tuag at dynged gwaeth nag angau.

Yn erbyn pob cyngor ac anogaeth, ac yn wyneb ymgyrch galed gan wrthwynebwyr y mudiad yn y wasg Gymreig, penderfynodd dros gant a hanner[3] o Gymry ymfudo iddi, heb wybod dim mwy am y wlad na'r hyn a adroddwyd wrthynt mewn cyfarfodydd cyhoeddus gan arweinyddion mudiad gwladfaol Michael D. Jones, neu'r hyn a ddarllenasant rhwng cloriau Llawlyfr y Wladychfa Gymreig, a luniwyd gan ysgrifennydd egnïol y mudiad, Hugh Hughes ('Cadfan Gwynedd'). Eu nod oedd sefydlu gwlad lle câi'r ymfudwyr Cymreig gadw'u hiaith a'u crefydd heb ofni cael eu gwasgaru na gorfod ymdoddi i genhedloedd cryfach.

Ymhlith y gwroniaid a fentrodd ar fwrdd y Mimosa gwelir enw Joseph Seth Jones, argraffydd ugeinmlwydd yng Ngwasg Gee, Dinbych. Ef yw awdur y dyddiadur hwn. Yn ei dudalennau, darllenir cofnodion o'i brofiadau amrywiol a'r hyn a dynnodd ei sylw dros y cyfnodau 19-26 Ebrill; 25 Mai-27 Gorffennaf 1865 a 14-21 Mawrth 1866.

Yn ogystal â'r dyddiadur, gadawodd Seth nifer o lythyrau dadlennol a anfonodd at ei frodyr, y Parchedig Robert Charles Jones (Lerpwl), a Charles Jones (Abergele), ynghyd â'u llythyrau hwy ato ef. Mae rheiny yn amlygu agosatrwydd y brodyr at ei gilydd, eu gofal y naill dros y llall, a'u parodrwydd cyson i gefnogi a chynorthwyo ei gilydd ymhob angen. Nodweddir eu llythyrau hefyd gan gyfeiriadau mynych at destunau crefyddol, testunau a oedd yn mynd â'u bryd ac yn amlygu argyhoeddiad Cristnogol dwfn.

Ganwyd Seth – yr ieuengaf ond un o wyth plentyn Charles a Jane Jones – ym Mhenanner, ym mhlwyf Llanfair Talhaearn, sir Ddinbych yn y flwyddyn 1845. Pregethwr lleyg gyda'r eglwys Bresbyteraidd oedd y tad ac, yn unol â galwadau ei swydd, symudodd y teulu pan oedd Seth yn chwe mlwydd oed i Saron. Yno, ynghyd â Charles a Robert, mynychodd Seth ysgol Nantglyn – cyn iddynt orfod symud eto yn 1854 i Bodrochwyn Bach, ger Abergele ac i ysgol Llanfair Talhaearn.[4]

Wedi gadael ysgol yn bedair ar ddeg oed ymunodd Seth yn brentis â'r Visitor Office, argraffdy Robert Jones yn Abergele. Oherwydd 'amgylchiadau yn y swyddfa',[5] gadawodd y lle hwnnw yn 1863 – chwe mis cyn cwblhau ei brentisiaeth. Mae'n rhaid ei fod wedi gofyn am gyngor Robert cyn cymryd cam mor bwysig, oherwydd anfonodd hwnnw ddyfyniad o reolau prentisiaeth ato – paragraff a oedd yn egluro sut y gallai prentis ddod yn rhydd o'i ymrwymiad. Gan nad oedd Joseph eto wedi cwblhau ei gyfnod nac wedi cyrraedd ei un mlwydd ar hugain, ni fedrai ddod yn rhydd ond trwy dorri ei gytundeb, ond dyna a wnaeth. Er gwaetha'r diflastod, llwyddodd i gadw mewn cysylltiad cyfeillgar â'i gyflogwr cyntaf, fel y dengys tudalennau cyntaf y dyddiadur.

Nid oedd ei ymdadawiad annhymig na'r ffaith ei fod heb orffen ei brentisiaeth yn rhwystr rhag i

Thomas Gee, cyhoeddwr *Y Faner*, gyflogi Seth yn argraffydd ar gyflog llawn. Daeth y weithred hon i glyw aelod o staff yr argraffdy, ac edliwiodd y mater i Seth. Rhag achosi trafferth, cynigiodd yntau ei ymddiswyddiad i Gee yn y fan a'r lle. Rhaid fod gan y meistr feddwl uchel o'i was newydd oherwydd gwrthododd ei ryddhau. Dichon hefyd fod ymlyniad Seth wrth ei gapel a'i grefydd yn bwysicach i Thomas Gee na ffurfioldeb y drefn prentisio a chyflogi. Ni ddywedir sut y llwyddodd y cyhoeddwr i dawelu'r cynnwrf ymhlith ei staff, ond ni fyddai angen i Gee golli gormod o gwsg uwchben y broblem, oherwydd nid oedodd Seth yn hir yn ei swydd. Swynwyd ef gan y sôn hudolus am y Gymru newydd ym Mhatagonia, anfonodd gais at Michael D. Jones, derbyniwyd ef i'r rhengoedd ar unwaith ac, am yr eildro mewn llai na dwy flynedd, penderfynodd adael ei swydd. Efallai iddo gael ei sbarduno gan hysbyseb a ymddangosodd yn rhifyn 8 Ebrill o *Yr Herald Cymraeg*, yn gofyn am '12 o fechgyn ieuanc, cynefin â gwaith, ac o gymeriad da' ac yn cynnig 'trefn esmwyth i ad-dalu' costau'r daith.

Achosodd y penderfyniad annisgwyl hwn gryn bryder i'w frodyr. Ysgrifennodd Charles ato ar 17 Ebrill yn awgrymu y dylai ystyried ei benderfyniad yn bwyllog. Dylid rhoi mwy o amser i feddwl cyn mynd ar 'daith daufis i sefydlu gwladychfa a hynny ynghanol estroniaid'. Serch hynny, cynigiodd swm o arian iddo ar gyfer y daith. Mae'n amlwg fod Robert hefyd yn poeni am y brawd bach oherwydd, yr un diwrnod, ysgrifennodd yntau lythyr ato. Mae ôl meddwl ar ei ddadleuon cytbwys. Wedi pwyso a mesur rhagoriaethau a gwendidau'r syniad o ymfudo i Batagonia, a chydnabod nad yw'n gwybod dim am y wlad, y mudiad na'i arweinyddion, dywed ei fod yn 'edmygu y drychfeddwl sydd wedi symbylu y rhai a gychwynasant y symudiad i'r Wladychfa . . . Fel yr wyf yn deall, y diben yw sefydlu y Cymry mewn gwlad ar eu pennau eu hunain, yn feddiannol ar eu rhyddid, ac i gadw yr hen iaith a'i breintiau heb lygru, i gadw y Cymry rhag gwasgaru ac ymgymysgu â chenhedloedd eraill . . . ond y perygl yw y bydd i'r llywodraethau amgylchynnol ormesu ein cenedl' meddai. Beth fu profiad *settlers* eraill a ymsefydlodd yn agos at wladwriaethau grymus? Roedd rheiny yn ddieithriad 'wedi achosi poen a helbul iddynt'. Ychwanegodd, yn broffwydol: 'Onid oes perygl y bydd i'r rhai sydd yn dylanwadu yn llywodraeth Buenos Aires . . . pan y gwelant fod y Cymry yn llwyddo, ymdrechu i ddwyn eu crefydd i mewn i'n cenedl ac i ymgeisio i gysylltu y Cymry o dan eu llywodraeth hwy, ac efallai eu trethu a'u gorthrymu?' Ac eto: 'Onid tebyg iawn yw y byddai i'r genedl honno gan ba un y byddai i ni gael ein *supplies* gadw ei llygaid arnom gan ddisgwyl yn barhaus y bydd i ni ryw ddydd fod yn ysglyfaeth pur *nice* iddi. Ond efallai dy fod yn dweud fy mod yn edrych yn rhy ddrwgdybus ar y cenhedloedd cymdogol. Nid wyf yn dweud dim croes i'r hyn a wnaethpwyd gan y Saeson gormesol tuag at ein cenedl wrolfrydig. Nid da rhoddi gormod o ymddiried i lywodraeth estronol'.

Nid ei frodyr yn unig a frawychwyd gyda sydynrwydd ei benderfyniad. Ffarweliodd un o'i frodyr yn y ffydd ag ef fel hyn: '*Mr Evans thought it very umproper of you to go and not to let them know on Monday night as long as you were at the chapel . . . Every one as know you seem to be very much surprised at your going so very far . . . Good bye, poor Jones, perhaps we shall meet in heaven . . .* '

Rhaid fod y rhybuddion wedi peri i Seth feddwl mwy ynglŷn â'r cam pwysig yr oedd yn ei gymryd. Fel y dengys ei ddyddiadur a'i lythyrau, byddai'n cael ei daro'n aml gan wahanol afiechydon. Ymgynghorodd ag eraill parthed ei addasrwydd i wynebu'r fenter fawr ac am effeithiau tebygol y daith ar ei iechyd. Er gwaethaf ei amheuon ei hun, ymdrechodd Robert i ddileu ofnau ei frawd:

'Gyda golwg ar dy *fitness* di i fyned gyda y fintai, nid wyf yn meddwl yr effeithiai y cyfnewidiad rhyw lawer ar dy iechyd a'th gyfansoddiad. Rwyt ti yn galetach na mi. Yr wyf fi yn drafaeliwr lled dda . . . nid wyf yn meddwl fod gennyt ti *stomach* llawn cystal â mi i dderbyn pob math o fwydydd. Ond, ar y cyfan, yr wyf yn meddwl na wnâi y fordaith a'r cyfnewidiadau hinsawdd lawer iawn o'u hôl arnat'.

Ceisiodd y Parchedig David Lloyd Jones yntau, a oedd yn etifeddu mantell Cadfan fel ysgrifennydd y Gymdeithas Wladychfaol, dawelu ei feddwl ynglŷn â'i allu i ennill ei fywoliaeth yn y Gymru Newydd: 'Credwyf y gwnewch y tro yn eithaf yn y Wladychfa. Fe fydd yno waith ysgafn yn ddiamau'.

Medrai Charles weld agwedd gadarnhaol hefyd: 'Mae yn dda gennyf ddeall fod David [y Dafydd Williams y mae Seth yn ei enwi yn ei ddyddiadur] yn dyfod gyda thi – gallwch fod yn gwmni ac yn gysur y naill i'r llall'. Ac i gynnal ei ysbryd ei hun gofynnodd i Seth am un gymwynas cyn ffarwelio: 'Yr wyf yn disgwyl dy fod yn tynnu dy lun cyn myned, fel y bydd i mi gael hwnnw i gofio amdanat . . . '

Roedd Seth eisoes wedi cadarnhau ei drefniadau. Derbyniasai lythyr arall oddi wrth David Lloyd Jones (eto dyddiedig 17 Ebrill) yn gofyn iddo beidio â dod i Lerpwl tan y dydd Llun canlynol oherwydd 'Yr ydym am dorri yr amser i fod yn L'pool mor fyrred ag y gellir[6] . . . Dydd Mawrth yw y diwrnod i fyned ar y llong'.

Ond roedd un mater pwysig heb ei setlo – nid oedd Seth wedi rhybuddio Thomas Gee ei fod yn gadael y wlad a'i swydd. Arhosodd tan ar ôl cinio ddydd Mercher 19 Ebrill 1865, ac yntau erbyn hynny ar frys i ddal y trên, i dorri'r newydd syfrdanol ac annisgwyl i'w gyflogwr. A dyma lle mae Seth yn dechrau ei stori.

Hanes fy mynediad i PATAGONIA

Dydd Mercher, Ebrill 19eg 1865

Ymadewais yn bur sydyn o Ddinbych i fyned tua
Phatagonia. Y dydd hwn yr hysbysais fy mwriad
yn Ninbych gyntaf – dim ond braidd yn y swyddfa
a fy lletty. Ar ol ciniaw yr hysbysais Mr. Gee[7] o fy
mwriad pan euthym i geisio y nghyflog am yr
wythnos a aeth heibio. Bydd ef arfer talu cyn
ciniaw – sef ychydig cyn un o'r gloch ond ryw fodd
neu gilydd ni wnaeth y tro hwn. Cynghorai ef fi i
aros hyd nes yr elai y fintai nesaf ar bob cyfrif, fel y
cawswn weled beth fyddai tynged y fintai gyntaf
yma.[8] Ymddangosai yn teimlo yn gryf iawn o blaid
aros hyd yr ail fintai.

Gofynodd i mi a oeddwn wedi addaw myned,
pryd yr attebais yn gadarnhaol fy mod cystal â
hyny; a phan welodd fy mod wedi llwyr fwriadu
myned dywedodd y cyttunai (setlai) a mi ar ôl
darfod talu i'r dynion, pryd y dywedais y
dymunwn iddo wneyd ar y pryd, oblegid fod y
gerbydres *(train)* yn cychwyn yn mhen yr awr, ac
efe a wnaeth.

Sylwais i mi weled y Parch. Wm. Morris,
Rhuddlan yn eistedd ger llaw iddo. Cyn i mi fyn'd
i ffordd oddi wrtho dywedodd Mr Gee wrthyf
mewn tymher hyfryd iawn, rhwng chwerthin a
sobr, am i mi ysgrifenu hanes Patagonia, &c i'r
Faner, &c ac yna ffarwelasom trwy ysgwyd

dwylaw. Yna ffarweliais yr un modd gyda'm cydwasanaethyddion, a chanasant gloch y swyddfa yn egnïol, ynghyd â rhoddi *cheers* mawr trwy'r *firm*, ac yna ymadewais, ac euthym i'm lletteidy, ac ymbarotais i fyned i ffordd, ac wedi gwneyd fy mhethau yn ddau bac, euthym yn ôl i'r *office* i geisio un o'r gweithwyr ieuaingc (David Hemar) i'm cynorthwyo i fynd i lawr i'r *station*. Brysiasom i lawr, ac wedi aros ychydig daeth y gerbydres a ffarweliais âg ef ynghyd â *chap* ieuangc a gyfarfyddasom yno [Hugh Hughes, mab David Hughes (Cristiolus Môn) yr hwn amlygai ei benderfyniad i dd'od yno y tro nesaf – nid oedd yn rhydd ar hyny o bryd]. Eis i lawr i'r Rhyl a gelwais yn lletty fy nghyfaill Dafydd Williams, eithr nid oedd ef wedi d'od i'r ysgol yr wythnos hono. Euthym yn mlaen oddi yno i Abergele, ac ar ôl galw gyda fy hen feistr euthym at fy mrawd [Charles], gyda'r hwn y treuliais y noson, gyda'r hwn y bum yn cynllunio &c.

Dydd Iau 20fed
Bum yn ymbarotoi ychydig ar fy mhethau oedd genyf wedi eu gadael yn nhy fy hen feistr, ac euthym adref y prydnhawn. Teimlo yn bur wrthwynebol yr oedd fy nhad, a lled berswadiai fy mam-yn-nghyfraith[9] fi, a hyny yn fwy rhesymol na nhad.

Dydd Gwener, 21ain

Ymadewais. Daeth William i'm danfon, ac er ei fod yn wael ei iechyd, &c., rhoddodd goron i mi o'i brinder. Gobeithio y caiff wella a d'od trosodd i Patagonia (fel y buom yn sôn a'n gilydd), os llwyddwn yno, a mwynhau diwedd oes hapus yno. – Gorphenais bacio fy mhethau yn y gist, ac aeth Thomas Evans a hi i lawr i'r Foryd yn y drol ful y prydnawn, gydar hwn yr euthym inau i'w danfon (am yr hyn y telais 1/6) ac euthym oddiyno i'r Rhyl i edrych am fy nghyfaill, eithr nid oedd wedi d'od yno hyd hyny, pryd y prynais 'Gyfansoddiadau Buddugol Eisteddfod y Rhyl'; yna dychwelais yn ôl at fy mrawd [Charles] gyda'r hwn y bum hyd boreu dranoeth.

Dydd Sadwrn, 22ain

Cychwynasom yn foreu i'r Foryd a chymerasom y Packet i Liverpool, pryd y cyrhaeddasom erbyn tua 10. Treuliasom y dydd yno gan fyned i amryw fanau. Cawsom wybodaeth na byddai y llestr yn debyg o gychwyn am oddeutu (feallai yn mhellach, &c).

Dydd Sabbath, 23ain

Bum gyda Robart yn nghapel Bedford, &c.

Dydd Llun, 24ain

Bum yn cerdded yma a thraw ar hyd y dref gyda Charles.

Dydd Mawrth, 25ain

Bum gyda Charles y boreu yma a thraw, ac yn
Birkenhead, a chyttunasom i gyfarfod ar y *Landing
stage* sy'n myned i Birkenhead, o'r hwn yr oedd ef
yn cychwyn adref, eithr trwy i mi gamddeall ni
chefais hyd i fy mrawd, ac felly ni chefais ffarwelio
ag ef.

Dydd Mercher, 26ain

Bum o'r pryd hwn hyd y 25ain o Fai[10] yn dysgwyl
am i ni gychwyn tua Phatagonia. Yr oedd yr *Halton
Castle* gyda pha un yr oeddym i fyned heb dd'od i
mewn, ac yr oeddynt yn ei dysgwyl bob dydd, ond
yn fuan torasant y *contract (cancell* [sic] *the contract)*
a chyttunasant am y *Mimosa,* yr hon oedd yn y
Clarence *Graving Dock,* yn cael ei chopro &c
gogyfer ac unrhyw fordaith. Bum yn Liverpool yn
ei dysgwyl hyd y 25ain o Fai oddigerth unwaith i
mi fyned drosodd i Benucha, Caerwys gyda
Dafydd Williams, ynghyda'i fam, yr hon oedd
wedi dyfod drosodd ar ei ôl i'w attal rhag d'od i
Patagonia, oblegid yr oedd yntau wedi bwriadu
dyfod drosodd gyda mi; yr hwn fwriad oedd wedi
ei gymeryd yn lled sydyn (er ei fod wedi bod yn
bwriadu myned i ogledd America er ys talm fe
ddyliwn) trwy i mi anfon atto, ac fe ddaeth yn bur
sydyn heb hysbysu ei deulu na neb arall am wn i,
oddigerth iddo hysbysu ei fam, er fe allai na
ddywedodd wrthi yn rhyw bendant iawn yr ae yn

mhellach na L'pool: ond fodd bynag yr oedd ei fam wedi erfyn yn daer arno iddo beidio a myned yn mhellach, a hi a ddaeth drosodd i'r un dyben hefyd. Eis drosodd gyda hwynt ddydd Iau Mai 4ydd, arosais yno hyd boreu y dydd Mercher canlynol debygaf. Yr oedd Mr. Robert Roberts, y Bettws yn nhaith Pen y cefn y Sabbath, a bum yn ymddiddan ag ef a chydag ef yn nhŷ David Owens, Pen y cefn yn cael tê. Yr oedd ef yn lled ffafriol i mi i fyned, a dywedai ei fod yntau wedi bod yn meddwl dyfod drosodd ond fel yr oedd amgylchiadau wedi ei gyfarfod – ei wraig wedi marw ac yntau wedi ei adael yn weddw gydai blant bychain. Bum yn dechreu yr oedfa iddo y nos, ac wedi y bregeth yn y *society* cefais i a Dafydd amryw gynghorion buddiol ganddo ef, ac eraill, yn wyneb ein taith bell – am i ni fod yn bur wyliadwrus ac ymnerthu yn yr Arglwydd, y byddai rhyw demtasiynau newyddion fe allai yn ein cyfarfod – bod i'r amrywiol wledydd eu temtasiynau neillduol ei hun – am i ni fod yn ofalus y gallem daro ar rai o chwaeth wahanol, &c., nid yw cymdeithas i'w chael yn bur yn unman. Diweddodd Dafydd y *society*. – Yn ystod yr amser y bum yn L'pool bum yn cerdded llawer bob dydd o'r Park i'r Emigration Office Union St. ac i'r Park i fwytta – i *second hand Book Halls*, yn mha rai y prynais amryw lyfrau, megys Bishop Tomlinson's [gofod] Bickersteth's 'Common Prayer', 'The

18

Successful Merchant', 'Persecution of the Protestants in Spain under Phillip II', 'Revelation & Science' by Savile, 'Presbyterian Messenger', 'Patagonian Missionary' (2d) 'The London Atlas', 'Athrawiaeth yr Iawn' (Edwards, Bala), 'Y Pregethwr a'r Gwrandawr', rhifyn o'r 'Drysorfa' a 'Thrysorfa y Plant', ac amryw 'Faneri', a phapurau, &c; prynais mewn Pone [sic] shop yn Park lane *Fowling piece* dau farrel am £2 -, siaced a llodreu lliain a fflat am 5/-. Prynais 2 bwys o bowdwr, amryw bwysi o shots, a boxiad o *caps*, a 50 o fwledi, yr oeddynt yn cyrhaedd tua 10/-, a chyllell 2/-, par o *nipbs* 6c, &c. Gwelle 2/-. Gwely 2/9. Ac amryw bethau nad wyf yn eu cofio ar hyn o bryd, o ie 2 Gryman 2/6; 'A Spanish & English Vocabulary' (1/6) 'The American Frugal Housewife', pâr o esgidiau 8/6, Het gincro 2/6, slate 6c, y llyfryn hwn 1/-, &c, &c. I Phrenologist 2/6; am 12 o *Carte de visites*. 5/- &c., &c., &c., Bum yn cerdded llawer ar hyd a lled L'pool. Bum ddwywaith yn Wavertree. Bum mewn amryw o'u cyfarfodydd ar nosweithiau gwaith, megys *societies* neillduol a chyffredinol, cyfarfod darllen, a phregethau. Bum yn Bootle un boreu Sabbath yn gwrandaw y Parch. Wm. Roberts, Abergele. – Nid oedd Dafydd wedi datgan ei benderfyniad o beidio a dod drosodd hyd ym mhen tipyn wedi ein dychweliad i L'pool; ac yr oedd bachgen wedi d'od trosodd gyda ni gyda'r bwriad o dd'od i Patagonia yr [hwn] a dynodd yn ôl yn union wedi d'od drosodd.

Dydd Iau, Mai 25ain
Yr oedd y *Mimosa* wedi symud o'r *graving dock* er's
tro bellach i Victoria Dock, a boreu heddyw am tua
10 o'r gloch y boreu cychwynasom i'r afon. Buom
yn yr afon hyd boreu Sabbath.[11]

Dydd Sabbath, 28ain
Cychwynasom o'r afon am tua 4 o'r gloch y boreu.
Wedi d'od o'r afon cawsom wynt croes. Yr oeddym
yn myned allan gyda Thug [sic] boat, yr hwn a'n
gadawodd tua 2 o'r gloch y prydnawn yn nghanol
y moryn cynhyrfus. Eis yn bur sal a phawb arall
oddigerth ychydig. Parhau yn stormus iawn a
wnaeth trwy'r dydd. Gwnaeth noson stormus.[12]

Dydd Llun, 29ain
Yr oedd yn hynod stormus tua 4 o'r gloch y boreu.
Parhaodd yn stormus ac i wlawio yn ddwys o'r
boreu tan rywbryd cyn boreu ddydd Mawrth. Yr
oeddwn yn bur sâl trwy'r dydd, ac ni chodais o fy
ngwely; ac ni chododd fawr neb arall.

Dydd Mawrth, 30ain
Yr oedd wedi tawelu yn fawr, ac yn bur hyfryd
allan, a chododd llawer, ond yr oeddwn yn dal yn
lled sâl o hyd ac ni chodais hyd tua 2 o'r gloch y
prydnawn; yr hyn a wnaethum trwy i'r cadben

ddod oddiamgylch, ac i un o'r morwyr fy nghodi allan o'm gwely yn dringar ddigon o ran hynny. Parhau dipyn yn glafyddaidd a gwanaidd yr oeddwn.

Dydd Mercher, 31ain
Diwrnod hyfryd– hwylio'n gampus.

Dydd Iau, Mehefin 1af
Diwrnod *fine*. Hwyliad chwim.

Dydd Gwener, 2il
Tipyn yn wlawog. Anfon llythyr at fy mrodyr oddiwrth y Scilly Islands, Cornwall (talu 3c.). Yr oeddwn wedi gwella yn lled dda erbyn hyn er nad yn holliach. Dywedais yn fy llythyr, trwy gamddealltwriaeth, mai i'r Iwerddon yr oeddwn yn anfon fy llythyr, yn lle i Cornwall; a fy mod yn talu 8c. am ei gludo.

Dydd Sadwrn, 3ydd
Diwrnod hyfryd iawn. Hwylio yn araf deg.

Dydd Sabbath (Sulgwyn) 4ydd
Hyfryd iawn. Y môr yn hollol lyfn. Yr ymddangosiad y dydd heddyw yn cyd-daraw yn hynod ag ymddangosiad yr un blaenorol. Yr oedd hwnw, ar ei gwaith yn cychwyn arno, yn ymlidio o sêl santaidd dros ei feistr, ac fel yn dywedyd yn ei

iaith ei hun wrth yr elfenau – y gwynt a'r môr –
'Ha! dywedwch wrth y pendewrion hyn,
Sancteiddiwch y dydd heddyw i'r Arglwydd.' Ond
heddyw pan ydoedd yn gyfreithlon i forio, yr oedd
ei ymddangosiad fel yn dywedyd wrth yr elfenau,
'Heddwch! gostegwch! rh'owch seibiant heddyw;
canys y dydd hwn a neillduwyd i gadw
coffadwriaeth am Adgyfodiad Tywysog y bywyd'.
Yn y boreu darllenodd y Cadben Wasanaeth
Eglwys Loegr. Ysgol am ddau. Pregeth am 6 gan R.
Williams.[13]

Dydd Llun, 5ed
Diwrnod cynhes iawn. Hwylio dim. Cwrdd
Gweddïo. Aeth pedwar allan mewn cwch i
ymdrochi– nid ymddangosai y cwch ond braidd fel
chwiaden o'r man yr ymdrochent.

Dydd Mawrth, 6ed
Diwrnod cynhes iawn. Hwylio yn gyflym. Cwrdd
Gweddïo.

Dydd Mercher, 7ed
Hwylio yn araf. Diwrnod cynhes iawn. Pregeth yn
yr hwyr.

Dydd Iau, 8fed
Diwrnod teg. Hwylio yn araf. Cyfeillach (society)
am 2. Cwrdd Gweddïo.

Dydd Gwener, 9fed

Diwrnod teg. Hwylio yn araf iawn. Yn hwyr heddyw bu plentyn (merch)[14] oddeutu 2 flwydd oed i Robert Thomas a'i wraig, Bangor, farw.

Dydd Sadwrn, 10fed

Claddu'r plentyn am 10 o'r gloch y boreu, trwy ei daflu i'r môr mewn *box* a wnaed i'r pwrpas, a cherig yn un pen iddo, i'r dyben o'i suddo o'r golwg. Am 10 o'r gloch yn yr hwyr bu plentyn (bachgen) arall farw-[15] plentyn i Aaron Jenkins, a'i briod, o *Mountain Ash*.[16] Yr oedd yntau oddeutu yr un oed.

Dydd Sabbath, 11eg

Claddu y plentyn am 8 o'r gloch y boreu yr un dull ag o'r blaen. Pregeth am 5.

Dydd Llun, 12fed

Hwylio yn gyflym.

Dydd Mawrth, 13eg

Gweled y Madeira Islands am oddeutu 12 o'r gloch. Dywedid fod yr ynys oeddym yn weled yn cyrhaedd oddeutu 130 o filldiroedd o hyd, ac fel yr oeddym yn nesu yr oedd yn d'od yn eglurach o hyd. Buom o fewn oddeutu rhyw 4 neu 5 milldir iddi. Yr oeddym yn gweled rhyw bentref, ynghyd â thai yma ac acw, o'r hyn lleiaf dywedid mai dyna beth oeddynt, yr oedd y tai yn ymddangos yn wynion.

Rhywbeth tebyg i hyn oedd y tir a welsom:-

Bum yn syllu arni gyda chwyddwydr, ac yr oeddwn yn ei gweled yn lled eglur. Yr oedd *nursery* ddu, debygid, i'w gweled ar y rhan dde ohoni. Tybiwn fy mod yn gweled rhai caeau gwyrddion ar ei llethrau. Hefyd mi welais rywbeth yr un fath â rhyw hen hofel eithin (os nad dyna beth ydoedd), yr hon oedd ag un talcen iddi megys yn myned i mewn i ochr y bryn. Collasom olwg ar y tir tuag 8 o'r gloch pan oedd yn dechreu nosi.

Dydd Mercher, 14eg
Diwrnod poeth iawn. Hwylio yn araf, araf.

Dydd Iau, 15fed
Boreu poeth iawn eto. Cyfeillach am 2 o'r gloch. Gweled y Canary Islands o bell. Gwelwyd y Peak of Teneriffe.

Dydd Gwener, 16eg
Boreu poeth iawn. Bu helynt enbyd heddyw ynghylch tori gwallt y merched ieuaingc.[17] Rhoddodd y Cadben orchymyn allan i'r dyben hyny, yr hyn a gyffrodd y Fintai yn fawr bron i gyd.

Dydd Sadwrn, 17eg
Gwynt cryf. Hwylio yn gyflym.

Dydd Sabbath, 18fed
Ni ddarllenodd y Cadben y Gwasanaeth heddyw, oherwydd yr helynt. Pregeth am ddeg. Ysgol am 2. Gwynt cryf, a hwylio tuag un milltir yn yr awr.

Dydd Llun, 19eg
Gwynt cryf.

Dydd Mawrth, 20fed

Hwylio 12 milltir yn yr awr. Dal *Flying Fish*. Y dydd hwn yr wyf yn tybio y chwythodd y gwynt yr hyn oeddwn wedi ei ysgrifenu yn bendramwnwgl i'r môr!

Dydd Mercher, 21ain

Gweld amryw o bysg mawr, sef *Sharks*.

Dydd Iau, 22ain

Boreu poeth. Hwylio dim braidd. Amryw o'r bechgyn yn mynd i'r môr i ymdrochi, trwy rwymo rhaff wrth y bowsprit, yr hon oedd yn myned i lawr bron at y dwfr, ac yna eistedd ar y gwaelod, ac wrth i ben ôl a blaen y llong godi i fyny ac i lawr bob yn ail yr oeddynt yn cael trochfa dros eu penau. Cyfeillach *(society)*.

Dydd Gwener, 23ain

Diwrnod poeth anghyffredin. Hwylio dim.

Dydd Sadwrn, 24ain

Awel gref. Gweled llong.

Dydd Sabbath, 25ain

Daeth corwynt cryf y prydnawn.

26ain, Dydd Llun

Gwynt cryf.

27ain, Dydd Mawrth
Hwylio yn gyflym. Gweled 2 long. Plentyn[18] yn marw i Robert Davies a'i briod, o Landrillo.

28ain, Dydd Mercher
Claddu y plentyn. Gweled Llong. Cwch yn myned ati.

29ain, Dydd Iau
Gwynt cryf.

30ain, Dydd Gwener
Hwylio yn gyflym.

Gorphenaf 1af, Dydd Sadwrn
Ar y môr beth bynag.

2il, Dydd Sabboth
Gwlawio.

3ydd, Dydd Llun
Ystormus iawn. Bwrw yn drwm.

4ydd, Dydd Mawrth
Hwylio yn gyflym. Nosweithiau clir iawn.

5ed, Dydd Mercher
Gweled aderyn mawr yr Albatross neu rywbeth. Gwynt cryf.

6ed, Dydd Iau
Hwylio yn araf.

7fed, Dydd Gwener [Dim cofnod yn y dyddiadur].

8fed. Dydd Sadwrn
Plymio y môr 80 llath o ddyfnder. Codi yn dymhestl.

9fed, Sabbath
Diwrnod teg. Gweled tir, sef Cape [ychwanegiad diweddarach: Cape Fris, Brazil mae'n debyg]. Bu Humphreys yn bedyddio tri o blant. Pregeth y boreu gan R. Williams. Pregeth y nos gan Mathews. Yr oeddwn wedi bod yn lled sâl am y tair wythnos ddiweddaf; eto yr oeddwn yn codi bob dydd, ond yn aml yn teimlo yn rhy ddifater a digalon i gwcio i mi fy hun pe buasai gennyf bethau priodol a hwylusdod i wneyd: ond heddyw dechreuais fendio yn iawn. Yr oeddwn o dan law y meddyg er's dyddiau – hynny yw, cefais ddose ganddo 4 boreugwaith, a quinine ganddo mewn potel ddwywaith, ynghyd [â] rhyw *physic* arall mwy blasus mewn potel – dyna'r cyfan a gefais. Dydd Sadwrn nesaf [sic – 'Sadwrn canlynol'] y gorphenais gymeryd y ffisig yna a enwais. Yr oedd fy nghorff yn bur rwym ynghyd â'r *gravel* arnaf, fy stumog yn wan, &c.

10fed, Dydd Llun
Hwylio yn gyflym.

11eg, Dydd Mawrth
Boreu tywyll gwlyb. Taranau yn rhuo a'r mellt yn gwau.

12fed, Dydd Mercher
Gwynt anffafriol – y llong yn myned dipyn o'i chyfeiriad.

13eg, Dydd Iau
Gweld llong. Gwynt cryf. Pregeth gan Mathews heno oddiar 2 Cor. VI a'r adn. olaf, 'Canys er gwerth y'ch prynwyd' &c Sylwodd mai ei[n] dyledswydd yw gogoneddu Duw, a hyny yn gyfangwbl – a'n corph a'n hysbryd – a'r cymhelliad i hyny, 'Canys &c.'

14eg, Dydd Gwener
Gwyntoedd sydyn, &c.

15fed. Dydd Sadwrn
Hwylio dim braidd. Nid yw y llong mewn cyfeiriad priodol. Maent wedi bod yn tacio tipyn yr wythnos yma. Gwellheais yn gampus yr wythnos hon. Boreu heddyw fel y nodais y gorphenais gymeryd y ffisyg. Yr wyf yn yfed rhyw haner llon'd cwpan de o ddwr hallt bob boreu cyn

boreufwyd er ys deuddydd neu dri yn ôl cynghor y meddyg.

Codais y prif ddigwyddiadau o Ddyddlyfr James Davies, Sir Fynwy; oherwydd i'r gwynt chwythu yr hyn oeddwn wedi ei ysgrifenu dros y bwrdd i'r môr, ac i minau yn mhen oddeutu rhyw 4 neu 5 niwrnod fynd dipyn yn sâl a difater. Nid yw ef wedi cofnodi yn fanwl iawn. Bu amryw bregethau a chyfarfodydd Gweddïo nad yw ef wedi eu cofnodi, er i'r pethau yna gael eu hesgeuluso y rhan ddiweddaf o ystod hyn o gofnodiad. Hefyd fe anwyd dau blentyn wedi y marwolaethau – mab a merch – i ddau o Mountain Ash – sef mab i Mary a John Jones, ieu.,[19] a merch i [Rachel ac] Aaron Jenkins.[20] Hefyd Dydd Mercher, Mehefin 28ain croesasom y gyhydedd. Dywedai llawer na chroesasom hi hyd oddeutu y Sabbath canlynol. Ond fodd bynnag dywedir ei bod yn hen arferiad yn mhlith morwyr pan yn croesi y gyhydedd i gael tipyn o sport yn y dull canlynol:- Dau forwr wisgo barfau gwneyd llaesion o ryw fân reffynau (carth hir); taflu tân gwyllt i fyny; y morwyr yn taflu bwceidiau o ddwfr am benau eu gilydd, &c. Cymerodd yr arferiad yma le y noson hon. Tywalltwyd dwfr am ben yr holl ymfudwyr braidd, oddigerth y merched a'r plant. Cefais i oddeutu tri bwcedaid am fy mhen heblaw tipyn ar draws ac ar hyd. Eis i lawr ychydig cyn iddynt ddarfod, yr hyn a gymmerodd le cyn naw. Arosais hyd oni ddaeth goleuni i mi fyned i'm gwely, ac yna eis i'm gwely hyd y boreu. Wedi darfod gyda lluchio y dwfr, buwyd yn gyru *rockets* i fyny, ac aeth amryw i fyny. Wedy'n bu amryw o'r rhai mwyaf *respectable* gyda'r cadben yn y cabbin yn yfed, a dywedir bod amryw o honynt yn bur llawn y rhai nid ydynt ysgrifenedig yn y llyfr hwn. – Mae yma dipyn o ddrwg deimlad weithiau yn ein plith. Yr ydym yn colli amryw bethau – rhai trwy ddamwain, ac eraill trwy fwriad. – Mae yma dipyn o amheuaeth, yn enwedig ym meddyliau y rhai mwyaf anwybodus a rheibus, o berthynas iddynt gael cyfiawnder yma, &c., gyda'n allowances, &c.; ac yn amheu fel y rhai oedd yn mynd gyda Cholumbus gynt, &c., &c.

16eg, Dydd Sabbath

Hwylio yn o lew neithiwr, rai prydiau beth bynag. Hwylio yn araf dros ben heddyw – y mor yn bur lyfn. Cododd yn wynt da gyda'r nos ac o gyfeiriad da, a chryfhaodd, gan ein chwythu yn gampus trwy'r nos. Y boreu pregethodd Mr. Humphreys oddiar Diar. XXVII.12. Mae adnod gyffelyb i hon i'w chanfod yn yr XXII.3. Mae amgylchiadau yn dyfod i gyfarfod pawb a brofant yn ddinystr iddynt oddieithr iddynt eu gochelyd. Dyma y morwyr er enghraifft: Mae storm yn dechreu a'u suddo hwy oddigerth iddynt fynd i'r porthladd i ymguddio. Fel yna gyda phob peth. Mae y call yn canfod y drwg yn dyfod ac yn actio yn gyfattebol, sef ei ochelyd trwy ymguddio; ond y ffol yn mynd rhagddo, ac o ganlyniad yn derbyn y canlyniadau, sef ei gospi: yn debyg i hanes y ddau gadben hyny – un sobr ac un meddw. Cychwynodd y ddau o'r un porthladd, ac yn rhwym i'r un fan; fe gododd yn storm, a'r cadben sobr a ganfyddodd y perygl ac a orchymynodd fyned i mewn i'r porthladd gerllaw; ond y cadben meddw ni chanfyddodd a phan y'i hysbyswyd, nid ystyriai eithr dywedai, 'Go ahead!' ac er cymmaint a rybuddiai y bobl arno, parhai i ddywedyd, 'Go ahead!' nes o'r diwedd iddynt fyned i'r traith a suddo oll! – Mae y byd yma mewn perygl oll o fyned dros y rhaiadr i golledigaeth; ond diolch y mae lle i ymguddio yng Nghrist! Trowch i'r amddiffynfa chwi garcharorion gobeithiol. Byddwch gall, ac na fyddwch ffôl er dangos y perygl i chwi. – Dosbarth y prydnawn. – Cwrdd Gweddïo y nos. Agorodd Mathews ef trwy ddarllen rhanau o'r IV a'r V benod o Epistol I Ioan, a gwneyd sylwadau arnynt. Traethawd gwir athronyddol yw'r epistol hwn ar Garu Duw. Y modd i ni wybod a ydym yn caru Duw yw a ydym yn caru y brodyr, a phrawf yn mhellach yw a ydym yn cadw ei orchymynion. Yr oedd yn well ganddo ef yr eglurhâd mai Ysbryd y cariad yma a feddyliodd ac nid yr Ysbryd Glân. 'Mae perffaith gariad yn bwrw allan ofn':- yn bwrw nid wedi bwrw. &c. &c.

17eg. Dydd Llun

Hwylio yn gampus. Bernir ein bod yn lat. 38; felly wedi gadael yr afon Plat [sic] (Rio de la Plata) yn myned yn mlaen gyferbyn â thalaeth Buenos Ayres. Bum yn gorwedd ar fy ngwely o ganol y prydnawn heddyw hyd amser myned i wely, pryd yr eis iddo yn iawn. Yr oeddym yn parhau i hwylio yn gampus. Tuag 8 o'r gloch heno bu plentyn (merch)[21] i Griffith Solomon a'i briod farw. Yr oedd oddeutu blwydd a haner oed.

18fed, Dydd Mawrth

Hwyliasom yn gampus trwy'r nos neithiwr. Pan eis i fy mox boreu heddyw i baratoi erbyn boreufwyd canfyddais fod rhywun wedi lladrata fy mhwdin. Yr oedd clo ar fy nghoffr fel arferol, ac ni chanfyddais golli dim arall. Am tua 9 o'r gloch y boreu claddwyd y plentyn yn yr un dull ar lleill. Parhau i hwylio yn dda trwy'r dydd. Cyfarfod Gweddïo yn yr hwyr. Hefyd dechreuodd gyfodi yn wynt ystormus, a goleuo mellt y rhai a ymddangosent yn bur aml; a thynasant yr hwyliau i gyd oddigerth rhyw ddwy neu dair, a daliasant i'r môr.[22]

19eg, Dydd Mercher

Parhaodd yn wynt cryf ac yn foryn chwyddedig trwy'r nos neithiwr. Parhau yr un fath trwy'r dydd – tonau mawrion – dim ond dwy neu dair o hwyliau i fyny – hwylio mewn cyfeiriad fwy i'r gorllewin nag un lle arall yn ôl yr haul.[23] Teimlo fy hun yn hynod iachus: diolch byth.

20ed, Dydd Iau
Y llong yn siglo yn arw neithiwr, yn enwedig ambell i ysbongc. Parhau yn foryn lled fawr – tonau fel mynyddau, chwedl pobl – a chwythu yn lled gryf ac oeraidd; eto yr haul yn tywynu yn hyfryd arnom. Codi yr hwyliau agos i gyd i fyny y prydnawn.

21ain, Dydd Gwener
Taflu i fyny wrth godi stwff melynlas, etto yn eithaf iach trwy'r dydd fel o'r blaen. Parhau yn gryn foryn braidd fwy, &c. Hwylio yn gyflym ond yn tacio tipyn y dyddiau hyn. Yr haul yn talu ei ymweliad fel o'r blaen. Yr hwyliau i gyd i fyny o'r braidd. Cwrdd Gweddïo yn yr hwyr.

22ain, Dydd Sadwrn
Yn siglo llai neithiwr. Dim moryn yn taflu drosodd fel boreu ddoe. Oherwydd ein bod ni dipyn yn rhynllyd yn parhau i deimlo y gwynt dipyn yn oeraidd. Nid yw yn siglo fawr, er ei bod yn dipyn o foryn, er nad cymmaint. Gwelodd rhai forfil boreu heddyw o bell a thybiasant mai *steamer* ydoedd gan fel yn chwythu ager i fyny, yr hwn oedd yn esgyn fel mwg, ond deallodd y *mate* yn union pan y'i

dangoswyd iddo. Codi *chain* yr angor i fyny yn barod. Gwelais amryw o bysgod a elwir 'porposois' neu 'tortousois'[24] neu rywbeth, yr oeddynt yn myned yn hynod o gyflym – yr un gyfeiriad a'r llong, ond yn gyflymach na hi. Fel yn rhyw neidio yr oeddynt – byddent yn y golwg yn awr a phryd arall, just ar wyneb y dwfr. Yr oedd yn llonyddach y prydnawn – yn llonyddu fel yr oedd yn nesu at y nos. Eis i fy ngwely yn bur gynar heddyw – nid oeddwn yn teimlo fy hun yn bur dda. Oeri oeddwn wedi ei wneyd, yr wyf yn barnu. Bum yn o hir cyn cynhesu; ac yr oeddwn yn lled boeth ar ôl cynhesu. Cadwyd Cwrdd Gweddïo yn yr hwyr.

23ain, Dydd Sabbath

Ni chodais trwy'r dydd heddyw. Yr oeddwn yn rhydd iawn trwy'r nos neithiwr, a pharheais felly trwy'r dydd heddyw; ac yr oedd genyf boen lled dost yn fy mol. – Oedfa y boreu – Mr Mathews oddiar Efengyl Ioan XI, 21, 32 – dwy adn. yn unig. Oedfa Seisnig am 4 o'r gloch y prydnawn gan Mr. R. Williams oddiar y geiriau hyny yn Luc 'Y [mae'n] rhaid gweddïo yn wastad ac heb ddiffygio'.[25] Cwrdd Gweddïo yn yr hwyr.

24ain, Dydd Llun

Parhau yn bur rydd trwy'r nos neithiwr, ond nid aml. Teimlo fy hun yn well heddyw. Codi rhwng naw a deg. Myned at y Meddyg, yr hwn a ddywedodd wrthyf mai y peth goreu i mi i'w wneyd oedd cadw fy hun mor gynhes ag y gallwn; ac hefyd fe roddodd i mi lwngc i'w yfed ar y pryd, yr hwn oedd yn lled dda ei flas. Ni chefais fy mlino gan y rhyddni heddyw. Rhywbeth yn debyg i fel y canlyn oedd y gŵyn oeddwn yn fwriadu ei thraethu o flaen y Meddyg boreu heddyw pe buasai angen:- *'I went to bed soon after Tea-time on Saturday night, and felt myself very cold, and was for hours before I got warm, – was very ill all through the night, yesterday, and last night, – felt tremendious* [sic] *pains in my belly, an[d] each pain seemed to be an opposition to the other, which caused, as I thought, I don't know whether it did so or not, my body to be extreemly* [sic] *loose.'* Es i fy ngwely yn lled gynar. Bu Cwrdd Gweddïo yn yr hwyr.

25ain, Dydd Mawrth

Yr ydym yn rhywle heb fod yn mhell iawn o New Bay, mae'n debyg. Maent yn tacio yn rhywle heb fod lawer o ganoedd oddiyno, mae'n ymddangos, er yr [sic] dyddiau bellach. Anhawdd iawn yw mynd i mewn gyda'r llongau hwyliau yma. – Mae yn goleuo yn awr yn y boreu oddeutu chwech i haner awr wedi chwech, ac yn tywyllu am oddeutu haner awr wedi pedwar i bump, Mae y dydd yn ymestyn.

26ain, Dydd Mercher

Amryw yn gweled tir am oddeutu 7 o'r gloch y boreu wrth ddringo i fyny dipyn. Y tir yn dod yn eglurach o hyd – yr oedd yn eglur iawn oddeutu canol dydd – bernir mai rhan o orynys Valdés ydyw. Nid yw y llong yn hwylio fawr heddyw – mae'n drifftio tipyn tua'r tir. Yr oeddym o fewn oddeutu milldir i'r orynys rhwng tri a phedwar – yr oedd y parth oedd yn ein hymyl ni ar yr ochr ogleddol, a ninau yn myned rhyw led gyda hi fwy na heb. Yr ydym yn hwylio yn *nice* iawn – breezen fawr ffafriol. Nid oes bryniau i'w canfod arni. Tynasant yr hwyliau i lawr oddigerth 3 neu 4 neu 5 rhwng 5 a 6; ac yr oeddym bron yn ngheg y New Bay – yr oedd y ddwy ochr i'w gweled er ysmeityn, sef Nueva Head ar yr ochr dde, a Ninffas Point ar yr ochr chwith. Euthom i mewn i'r Bay yn lled fuan wed'yn wrth oleuni lleuad – yr hon a fachludodd am oddeutu deg. Rhywbeth tebyg i hyn oedd yr orynys:-

Yr oedd rhai yn dywedyd eu bod yn gweled y tir o bell ac yn aneglur ddoe. – Yn yr hwyr cynaliwyd Cwrdd Gweddïo.

27ain, Dydd Iau

Agor ein llygaid yn New Bay. Amryw yn codi tua 4 o'r gloch y boreu, ac yn cadw twrw mawr, gan gerdded i fyny ac i lawr. Boreu hyfryd. Pur dawel. Am oddeutu un o'r gloch y prydnawn aeth y Cadben yn nghyda phedwar o'r dwylaw, y meddyg, a Williams, Birkenhead (ieu.)[26] mewn cwch tua'r lan. Mae yn brydnawn – gwaith hynod o hyfryd – yr haul yn tywynu yn gynhes o braf –

mae yn bur uchel ac ystyried mai canol gauaf ydyw. Bay braf yn edrych ydyw hwn, mae i'w weled fel cylch mawr oddigerth yr agorfa sydd o hono i'r môr. Amgylchynir ef a chreigiau lled isel.

Mae oddeutu 50 milldir o hyd a 30 o led. – Rhwng 4 a 5 dychwelodd y cwch yn ôl, ac er syndod a llawenydd pawb yr oedd Mr. Lewis Jones ynddo. Yn fuan wed'yn cawsom dipyn o'i hanes gan Mr. L. Jones. Yr oedd ei adroddiad yn bodloni yn gyffredinol a thu hwnt i'n dysgwyliadau o lawer. Dywedai mai trwy rwystrau anghyffredin yr oedd wedi llwyddo. Pan gyrhaeddodd i Buenos Ayres anhawdd iawn oedd cael dim gwrandawiad, oblegid yr oedd rhyfel newydd dori allan yn Paraguay; a dywedai: 'Chwi wyddoch pan oedd rhyfel rhwng Lloegr a Rwssia nad oedd dim ond Rwssia i'w gael o hyd ganddi; felly yn union yr oedd hi yn Buenos Ayres.' Yr oedd ganddo yn New Bay 16 o dai, a *Store house* braf, 2 Drol, 9 o Geffylau, 3 o Wartheg, 500 o Ddefaid, 3 o ddynion gwynion, 1 o'r Patagoniaid, un dof a dyn du (Indian o Calcutta o enedigaeth), 3 neu 4 o Germans (y rhai ydoedd wedi eu canfod mewn rhyw hen wrecks yn y bau), yr oedd Mr Edwin Roberts ganddo yn gwylio ac yn paratoi, yr oedd ganddo long[27] yn y bau, gyda pha un yr oedd wedi d'od a'r defaid oddeutu deuddydd yn ôl, ac yr oedd ganddo un arall[28] yn rhywle oddeutu'r lle – y ddwy at ein gwasanaeth, yr oedd yn cludo *stores* gyda'r hon yr

39

oedd wedi d'od â'r defaid, yr oedd ganddo yn yr Ystordy[29] 300 o sacheidiau o wenith, 3 tunell o fara,[30] ychydig o haidd, a cheirch, yr oedd ganddo flawd hefyd a thatws, a llawer iawn o fân nwyddau, megys *rice*, siwgwr, coffi, pomkins, rhawiau, ceibiau heiarn, &c., &c., &c, coed, &c., yr oedd ganddo 500 o Wartheg a 200 o geffylau yn myned ar hyd y tir i'r Chupat, ac yr oedd yn dysgwyl eu bod wedi cyrhaedd yno bellach.[31] Mae ganddo 3000 o wartheg i ddyfod ynghyd a haner can' mil o ddefaid,[32] mae ganddo eisiau myned i Del Carmen (Patagones) i orphen cael pethau, megys caws, &c., a defaid heblaw yr haner can mil (Yr oedd wedi cychwyn yno y boreu y dydd y daethom o hyd i'n gilydd, a buasai wedi myned yno oni buasai nad oedd dim gwynt) &c, &c. Dyna fraslun anmherffaith o'r hyn a ddywedodd Mr. L. Jones.

Saib hir

Am yr eildro, mae Seth yn cefnu ar ei ddyddiadur, gan adael bwlch yn ei stori y tro hwn. Bydd saith mis a hanner yn mynd heibio cyn iddo benderfynu ail gydio ynddo dros dro ar 14 Mawrth 1866. Gadawodd 50 tudalen yn lân, gan fwriadu, efallai, adael lle i nodi'r hyn a digwyddodd yn y cyfamser (Awst 1865 – Mawrth 1866). Ni fedrwn ond dyfalu ynglŷn â'r rheswm dros y toriad, ond mae'n debygol ei fod wedi penderfynu copïo maes o law o'r llythyrau a ysgrifenasai at ei frodyr – neu, efallai, o ddyddiaduron gwladfawyr eraill, yr hyn a wnaethai ef ac eraill o'r blaen. Mewn llythyr byr dyddiedig 8 Tachwedd at Charles, esbonia nad oedd wedi ysgrifennu ynghynt oherwydd ei fod wedi bod 'yn sâl iawn am oddeutu wythnos pan oeddynt yn anfon, a'm cist a'm papur yn anghyfleus'. Fe allai fod wedi egluro beth oedd achos ei wendid. Roedd Seth yn aelod o un o'r grwpiau cyntaf a anfonwyd dros bron i ddeugain milltir o baith at yr afon i sefydlu Caer Antur. Nid oes amheuaeth fod yr holl ddioddefaint a'u llethodd yn haeddu cofnod manwl.

Dywedir fod yr ymdrech gorfforol aruthrol a gyflawnodd y llanciau i gyrraedd yr afon, a'r newyn a ddioddefasant pan llongddrylliodd y bywydfad a gludai'r cyflenwad bwyd a anfonasid i'r dyffryn ar eu cyfer, wedi gwanhau eu cyrff yn ddifrifol. Dychwelodd nifer ohonynt i'r bae i chwilio am fwyd. Aeth yr un ar ddeg cyntaf ar goll ar y paith a dim ond gwyrth a'u hachubodd. Ymwahanodd Seth oddi wrth y criw a'u dilynodd, ac aeth yntau ar goll. Yn y gwastadedd a adnabyddir heddiw fel Pant Simpson, gwelodd fryn bychan a dechreuodd ei ddringo yn y gobaith o weld y môr a chanfod ei gyfeiriad.

Wedi cyrraedd y brig, syllodd i'r pellter heb lwyddo i weld yr Iwerydd. Wrth ei draed, gorweddai corff aderyn. Torrodd ef yn ddau

hanner – cadwodd un yn ei boced a bwytaodd y
llall yn amrwd. Wedi ymgryfhau, llwyddodd i
synhwyro ei gyfeiriad ac ailgydiodd yn ei ffordd i'r
bae, lle cyrhaeddodd mewn cyflwr hynod o wael.
Oddi ar hynny, adnabyddir y bryn bychan a welir
yn glir o'r ffordd fawr sy'n rhedeg rhwng Porth
Madryn a Threlew fel Twr Joseph.

Cadwodd Seth ei air ac, ar Ddydd Gŵyl Dewi
1866, ysgrifennodd lythyr hir yn adrodd hanes
mordaith y Mimosa ac yn cynnwys manylion sydd
heb fod yn ei ddyddiadur. Disgrifiodd hefyd yr
olygfa ar y traeth noeth ac anghyfannedd pan
laniodd y fintai ar 28 Gorffennaf. Un o'r
gorchwylion tristaf a'i wynebodd e'r bore hwnnw
oedd agor bedd ar gyfer derbyn corff Mary Jones,
yr eneth deirblwydd oed o'r Bala a fu farw y noson
gynt wrth i'r Mimosa ollwng angor. Cyfeiria hefyd
at y cynnwrf a achosodd diflaniad Dafydd
Williams, y crydd o Aberystwyth, ac at yr ymgais
ofer i'w gael yn ôl i'r gwersyll. Dywed fod brodor
a ddisgrifiwyd gan Lewis Jones fel y 'Patagoniad
dof' wedi mynd i chwilio amdano ar ei geffyl.

Mae sawl adroddiad yn dweud ei bod hi'n fore
glawog ac nad oedd to ar unrhyw un o'r un 'tŷ' ar
bymtheg a grybwyllwyd yn araith groeso Lewis
Jones, oherwydd na chludwyd digon o goed o
Batagones – darganfyddiad a achosodd dorcalon.
Dywed Edwin Cynrig Roberts[33] fod y mamau yn
eu dagrau tra oeddynt yn chwilio am gysgod i'w

plant ymhlith y dodrefn gwasgaredig ar y traeth. Wrth feirniadu'r trefniadau, achwynodd y meddyg Thomas Greene fod y teuluoedd wedi gorfod cysgu mewn 'sied goed hir'.[34]

Yr unig adeilad sy'n cyfateb i'r fath ddisgrifiad yw'r stordy. Rai dyddiau'n ddiweddarach cariwyd y cargo iddo, meddai Seth, ac ef yw'r unig un sy'n nodi'r digwyddiad – gan daflu goleuni ar y darlun a grëwyd gan Roberts a Greene. O ganlyniad, gellir casglu mai'r hyn a ddigwyddodd oedd fod Cyngor y Wladychfa wedi penderfynu gadael y dodrefn a'r offer ar y traeth er mwyn cael rhai o'r teuluoedd dan do hyd nes y byddai'r seiri yn gorffen adeiladu'r cabanau.

Mae Seth yn rhoi adroddiad cryno parthed y gwaith o gludo'r dodrefn, yr offer, y bwyd, y gwragedd a'r plant o'r bae i'r afon, proses hunllefus a gymerodd sawl wythnos ac a achosodd farwolaeth un o ffigurau mwyaf blaenllaw y cyfnod, John E. Davies. O ganlyniad i ddiffyg synnwyr cyffredin y Capten Woods, a gadwodd y criw cyntaf o wragedd a anfonwyd i'r dyffryn yn gaeth yng nghrombil y *Mary Helen*, dirywiodd eu hiechyd a bu farw llawer o'r plant o fewn ychydig wythnosau i gwblhau'r daith. Achosodd ei ddiffyg effeithiolrwydd golledion materol pwysig i'r wladychfa.

Gwnaeth Seth gyfeiriad arwynebol at gyflwr economaidd y Wladfa. Medrai fod wedi manylu mwy am y prinder bwyd a'r newyn a'r ymdrechion aruthrol a wnaed i fwydo'r fintai. Nid yw'n nodi'r rhesymau dros yr anghydfod rhwng y Cyngor a'r Llywydd, ond cyfeiria at y cyfarfod cyhoeddus cyntaf i'w gynnal ym Mhatagonia, at y drwgdeimlad, ac at y siom a achosodd ymadawiad Lewis Jones gyda'i deulu, y meddyg a hanner dwsin o lanciau anfodlon. Ond cododd ef ac eraill eu gobeithion gydag addewidion (gwag, fel y digwyddodd) y tirfesurydd Julio Díaz.

Cofnodwyd dathliad yr ŵyl gyntaf i gael ei chynnal yng Nghaer Antur y 25 o Ragfyr 1865 gan R. J. Berwyn a John Jones (ieu), ond Seth yw'r unig un sy'n rhoi'r enw Eisteddfod arni, enw y mae yn ei llwyr deilyngu yn ôl disgrifiadau manwl y ddau arall. Dyma ddyddiad y dylai Eisteddfod y Wladfa ei drysori.

Roedd digon o ddigwyddiadau eraill a deilyngai eu lle yn ei ddyddiadur, megis taith ddiffrwyth yr wyth archwilydd a anfonwyd tua'r gorllewin gyda'r bwriad o ganfod tiroedd newydd; ymddangosiad y 'blaid symudol' o dan arweiniad Abraham Matthews, a ofynnai am gael symud y gwladfawyr i hinsawdd gwell; diflaniad y bardd Iago Dafydd yn Chwefror a dychweliad buddugoliaethus William Davies ar fwrdd y Denby, y sgwner fach a roed at wasanaeth y wladychfa. Roedd gan y Llywydd newyddion da: addewidion o gymorth a chredyd, a chyfraniad o

£140 misol oddi wrth y llywodraeth cenedlaethol hyd at y cynhaeaf nesaf – newyddion a oedd yn codi gobeithion y 'blaid wladychfaol'. Roedd y ffermwyr wedi meddiannu eu tyddynnod, wedi dechrau aredig y tir ac yn adeiladu tai gyda brics wedi'u crasu yn y fro.

Dewisodd Seth un o adegau mwyaf cadarnhaol hanes cynnar y Wladfa i ailgydio yn ei ddyddiadur – eithr dim ond am wyth diwrnod.

[Dydd Mercher] Mawrth 14eg, 1866

Eithym trwy wely yr afon i'r ynys fach a adnabyddir wrth yr enw 'Ynys Dafydd John'. Yr oeddwn at haner fy nghluniau yn y mwd yn croesi. Nid oes dwfr ar yr ochr ogleddol iddi er ys tipyn bellach oddieithr ar amser y llanw. Nid oedd hon yn ynys hollol pan ddaeth y rhai cyntaf i'r Chupat, oblegyd yr oedd rhimyn main – rhy fain i'w gerdded – yn ei chydio a'r ochr ddeheuol; ond darfu i ddyn o'r enw Dafydd John[35] wneuthur bwlch yn hwnw a'i raw, ac y mae y ffrwd o hyny allan wedi dechreu myned y ffordd hono, a chryfhaodd yn barhaus nes y mae wedi myned i gyd y ffordd hono. Wel, eis i'r ynys hon pan oedd y llanw i lawr, ac arloesais lanerch fach o'r ffeg, a phenais bolyn arno, a'r hyn a ganlyn arno, – J.S.J. 14/3/66, hyny yw, Joseph Seth Jones, y pedwerydd dydd ar ddeg or trydydd (sef Mawrth) o'r flwyddyn 1866.

15fed

Bum gyda'm partner (Evan Dafydd)[36] a Robert Davies yn yr ochr draw (ddeheuol) i'r afon yn pigo fferymedd [?], yr hyn a wnaethom mewn math o orynys (yr hon a amgylchynir â choed un ochr a'r afon yr ochr arall,) amryw filldiroedd i fyny.

17eg

Prydnawn heddyw bu Mr. John Hughes, Rhosllanerchrugog,[37] gynt, farw. Cafodd ei gystuddio bron o'r adeg y glaniad. Dechreuodd wella unwaith pryd y daeth i berthyn i'r capel. Yr oedd wedi bod gyda chrefydd o'r blaen. Dangosodd ei dueddfryd i'r Parch. L. Humphreys pan ar y fordaith yn dod yma, ond trwy y naill beth a'r llall – rhywbeth yn lluddias cynal cwrdd eglwysig, &c. – ni ddaeth yn gyhoeddus hyd y pryd hyn. Tystiai wrth ei briod ychydig cyn ei farwolaeth fod yn well ganddo gael myned at Iesu Grist, a hyderai y cai fyned hefyd.

18fed

Dydd Sabbath. Moddion fel arferol.

19eg

Bum yn tori bedd i John Hughes, a chladdwyd ef.

20fed

Aeth bagad o honom i lawr i lan y môr i gasglu

ychydig o bethau bawb iddo ei hun oddi wrth yr hen *wreck*.[38]

21ain
Tua 5 o'r gloch prydnawn heddyw cychwynais i New Bay i edrych ar ôl y pethau sydd yno. Yr oedd Williams, Fferm Trifa[39] yn myned yno ar yr un pryd i daclu[40] ychydig ar rhyw bethau sydd ganddo yno. Campiasom ar ôl teithio oddeutu 10 milldir. A chan y cyfrifid y ceffyl oedd genyf fi yn un lled lywaeth, ac yr arhosai gyda chydymaith heb ei lyffetheirio, felly gadewais ef yn rhydd gyda cheffyl Williams; ond boreu dranoeth nid oedd sôn am dano. Ar ôl chwilio tipyn oddi amgylch penderfynasom fyned yn mlaen, a marchogaeth bob yn ail ar geffyl Williams. Felly fu, a chyrhaeddasom braidd erbyn y nos. Euthom yn bur unionsyth, a deliais ddau neu dri o armadillos ar y ffordd.

* * *

Daw dyddiadur gwladfaol Joseph Seth Jones i ben yn y fan hon. Ond nid dyma ddiwedd ei hanes diddorol. Cyhoeddwyd cyfieithiad Saesneg o'r dyddiadur a gadwodd yn ystod ei arhosiad ar ynysoedd y Falkland yn y *Falkland Islands Journal*. Nid oedd y fersiwn wreiddiol ar gael ar gyfer paratoi'r gyfrol hon, ond cawn wybod mwy amdano ac am ei anturiaethau drwy ddarllen ei lythyrau at ei frodyr.

Y bennod olaf

Dadlwythwyd y mwyafrif o'r llwythi a anfonid i'r
wladychfa o Patagones, Buenos Aires neu o dramor
yn y man a oedd yn dechrau cael ei adnabod fel
Porth Madryn. Cadwyd hwynt yn y stordy cyn eu
cludo i'r dyffryn. Dyma'r eiddo yr oedd Seth ac
eraill yn eu tro yn ei warchod yn enw'r Cyngor.
Mewn llythyr dyddiedig 8 Chwefror esbonia Seth
mai ar archiad y Llywydd, William Davies, yr aeth
i'r bae. Byddai'n aros yno hyd at 3 Ebrill. Yn ystod
y cyfnod hwn galwodd y *Fairy*, un o'r llongau hela
morloi a fanteisiai'n aml ar ddyfroedd tawel y bae
i wneud unrhyw drwsio angenrheidiol. Roedd
angen cogydd ar y criw, a gwelwyd yn Seth yr
ymgeisydd delfrydol. Y mae e'n honni ei fod wedi
meddwl ers amser am ymweld â llefydd eraill yn y
rhanbarth ac ei fod, ynghyd ag Ifan Dafydd, ei
bartner, wedi cytuno y gallai hwnnw ofalu am y
fferm ar ei ben ei hun tra bod Seth yn astudio
posibiliadau masnachol canolfannau eraill ac yn
creu cysylltiadau. I'r gŵr ifanc crefyddol hwn,
ymddangosai ymweliad y *Fairy* fel pe bai
Rhagluniaeth yn ymyrryd i hyrwyddo ei
gynlluniau. Ni fu'n hir yn ystyried y cynnig. Pan
ryddhawyd ef o'i ddyletswyddau, dychwelodd i'r
dyffryn i roi trefn ar ei bethau. Gadawodd ei eiddo
amaethyddol prin yng ngofal Ifan Dafydd, a'i gist,
ei lyfrau a'i wn, yn nwylo'r Llywydd. Hysbysodd
yr awdurdodau ei fod yn gadael y wladychfa dros

dro. Eithr ychydig ddyddiau'n ddiweddarach (10 Ebrill), pan gamodd ar fwrdd y *Fairy* i ymlwybro tuag Ynysoedd y Falklands, ffarweliodd Seth am byth â Phatagonia. Ai un arall o'r aml benderfyniadau byrbwyll fu'n nodweddu ei ieuenctid oedd hwn?

Dywedodd Seth wrth ei frodyr bod gwladfawr arall, Dafydd John, wedi llwydo i gael cludiant rhad ar y *Fairy*. Roedd John yn gefnogwr i'r 'blaid ymfudol', ac roedd ganddo ddogfen bwysig i'w chyflwyno i ofal y capten. Deiseb oedd hon ac arni bedwar llofnod ar bymtheg[41] wedi'i chyfeirio at Raglaw'r ynysoedd yn gofyn am ymyrraeth y llywodraeth Prydeinig i'w symud o'r wladychfa. Cyrhaeddodd y *Fairy* o'r diwedd i Borth Stanley ar 10 Mai ac mae'n ddiddorol sylwi bod Seth wedi gadael ei swydd fel cogydd y llong, er nad yw'n tynnu sylw at hynny. Ymhen ychydig ddyddiau, holwyd y ddau gyn-wladfawr gan y Rhaglaw Charles MacKensie a'r Ysgrifennydd Gwladychfaol. Sicrhaodd Seth ei frodyr ei fod wedi dweud 'y gwir, yr holl wir, a dim ond y gwir'. Roedd wedi cyfeirio at y caledi a dioddefasant ers gadael Lerpwl ond nododd hefyd y gallai'r wladychfa ddatblygu i fod yn lle da – dim ond cael ychydig o gefnogaeth, a bod y llywodraeth yn Buenos Aires wedi addo cymorth. Ychwanegodd fod y Rhaglaw wedi anfon adroddiad i Montevideo a bod y llynges Brydeinig, o ganlyniad, wedi anfon llong ryfel[42] yn cludo 'dilladau ac amryw bethau' i'r Chupat.

Mae ei lythyrau at ei frodyr yn sôn yn gyson am ei obeithion am lwyddiant y Wladfa ac am ei ddymuniad i ddychwelyd yno pan fyddai'r 'amodau yn ffafriol'. Eithr yn ôl y dyfyniad a gyrhaeddodd i sylw Lewis Jones,[43] ni chynhwyswyd unrhyw sylw gobeithiol neu ganmoliaethus o'i eiddo yn adroddiad y Rhaglaw am ei dystiolaeth ef a Dafydd John. Lluniwyd y petisiwn gan y Parchedig Robert Meirion Williams. O'r pedwar 'llofnod' ar bymtheg, ymddengys mai rhyw hanner dwsin yn unig oedd yn ddilys.

Nid oes amau diffuantrwydd y gŵr ifanc sensitif hwn. Ysgogwyd ef i ymuno â'r mudiad gwladfaol gan ei ddelfrydau gwladgarol a Christnogol, ond gellir casglu oddi wrth ei ddyddiadur a'i lythyrau nad oedd ei hyfforddiant na'i gyflwr corfforol yn ei wneud yn ddeunydd addas ar gyfer cynllun mor uchelgeisiol, mor fentrus, ac mor anodd i'w weithredu â gwladychu Patagonia. Wrth bwyso a mesur y fintai gyntaf, dywed Edwin Cynrig Roberts fod angen amaethwyr profiadol ar y lle. 'Am yr holl grefftwyr o'r trefi a ddaethant yma, yn enwedig y rhai na wyddant am drin y tir, y plâg fo ar eu pennau bron bob un, meddaf fi!'[44] Roedd Seth yn perthyn yn bendant i'r categori olaf hwn. Serch hynny, dangosodd ewyllys da a diwydrwydd gydol ei arhosiad byr ym Mhatagonia.

Yn ystod ei gyfnod yn y Falklands, llwyddodd i ennill ei gyflog drwy weithio fel gwas a labrwr, weithiau ar fwrdd llongau ac ambell dro yn eu dadlwytho; o leiaf unwaith yn torri mawn a throeon yn arddwr; ac yn aml, meddai ef, yn gwneud 'rhywbeth rhywbeth i rywun, rhywun'. Yn ôl ei dystiolaeth ei hun, nid oedd erioed wedi mwynhau cystal iechyd. Dichon bod y gwaith corfforol wedi ei gryfhau. Teimlai bod Rhagluniaeth wedi bod yn garedig wrtho ers iddo adael Lerpwl, a'i chymwynas ddiweddaraf oedd anfon llong Gymreig i'r ynysoedd. Ar ei bwrdd cafodd afael mewn 'cyfrol o bregethau John Elias o Fôn gynt . . . Diolch byth!'[45]

Nid oedd y datblygiadau ar y Chupat wedi creu darlun rhy ddeniadol yn ystod y flwyddyn, a dilynwyd sawl siom gan gadwyn arall o siomedigethau. Doedd yr amodau anffodus a ddioddefodd Seth yn ystod ei arhosiad byr yn y wladychfa ddim wedi diflannu eto ac roedd yr anghydfod gwleidyddol rhwng yr arweinyddion yn polareiddio fwy a mwy. Daeth hyn i ben gydag ymgais Abraham Mathews a'i 'blaid symudol' i gludo'r fintai i dalaith Santa Fe – ecsodus a rwystrwyd ar y funud olaf drwy ymdrechion Edwin Cynrig Roberts a Richard Jones Berwyn ac ymyrraeth ddramatig Lewis Jones.

Erbyn Tachwedd 1867, gwelwyd tro ar fyd.

Gwnaed darganfyddiad tyngedfennol gan Rachel ac Aaron Jenkins, sef bod y 'tir du' a diffaith a adawyd yn segur tan hynny mor gynhyrchiol â dolydd gwyrdd glannau'r afon – dim ond iddo gael ei ddyfrhau yn yr un modd â rheiny. O ganlyniad, adnewyddodd y gwladfawyr eu ffydd yn y Chupat.

Ond nid oedd Seth wedi clywed y newyddion calonogol hyn. Bu'n aros am fisoedd lawer i Ifan Dafydd ateb ei lythyrau er mwyn cael gwybod a oedd yr amodau wedi gwella digon i gyfiawnhau ei ddychweliad i'r Wladfa – ond yn ofer. Ymddengys hefyd na fu iddo fwynhau ei arhosiad yn yr ynysoedd. Gwnaethai'r trigolion dduw o alcohol, yr hwn a'u caethiwodd a'u darostwng i dlodi. Yn ogystal, rhybuddiodd Robert ef mai 'ynfydrwydd o'r mwyaf fyddai i ti aros yn y wlad yna, neu Patagonia, os nad agora rhyw ragolygon gwell nad yw wedi gwneud hyd yn hyn yn bur fuan'.

Erbyn diwedd 1867, nododd Seth newn llythyr at ei frodyr ei fwriad i ddychwelyd i Gymru unwaith y byddai wedi arbed digon o arian i dalu am ei docyn. Yng nghyflawnder yr amser, cymeradwywyd ei enw gan lywodraeth yr ynys, a chafodd swydd fel stiward ar un o'r llongau a deithiai i Lerpwl. Glaniodd yno ar 3 Mai 1868, dair blynedd prin wedi i'r Mimosa godi angor yn y Victoria Dock.

Dros y ddwy flynedd gyntaf yn ôl yng Nghymru, 'bu'n gweithio yma ac acw yn y cylch'[46] ond tua 1870 penodwyd ef yn bostmon yn Nhreffynnon, swydd a ddaliodd am drideg a phedair o flynyddoedd. Arhosodd yn ddi-briod ond, yn wahanol i'r bryncyn sy'n cario'i enw i'n hatgoffa am ei anturiaethau ym Mhatagonia, ni fu Seth yn ffigwr unig. Y tu allan i oriau gwaith, cyfrannodd yn hael yng ngweithgareddau ei eglwys, Capel Presbyteraidd Rehoboth, a dyrchafwyd ef yn flaenor. Ymroddodd hefyd i gynorthwyo plant ac aelodau llai ffodus cymdeithas.[47]

Parhaodd Charles i fyw yn Abergele, gyda'i wraig a'i blant. Yn ei dro, ymfudodd Robert gyda'i wraig i Chile, yn athro ysgol a gweinidog yr Efengyl yn Guayacán, lle arhosodd am bedair blynedd (1873-7) cyn ymsefydlu fel gweinidog gyda'r Eglwys Bresbyteraidd ym Mhorthaethwy, Ynys Môn.

Bu farw Seth ar 17 Ionawr 1912. Mynychwyd ei angladd gan dorf niferus, ynghyd ag ugain gweinidog o wahanol enwadau Cristnogol – cynhebrwng teilwng iawn i Gristion o argyhoeddiad.

Ni ellir hawlio bod ei gyfraniad i'r Wladfa wedi bod yn un o bwys nac ei fod wedi ymroi i wireddu'r delfrydau yr honnai ef iddynt fod yn gyfrifol am ei ddenu yno. Efallai mai chwiw a

chwilfrydedd a gymhellodd y gŵr ifanc i adael ei
wlad. Mae'n anodd osgoi'r casgliad mai arwynebol
oedd ei ymroddiad i'r achos, a phrin fu'r dylanwad
a gafodd ei arhosiad byr ar y tir newydd. Dengys ei
ymadawiad, ynghyd â'i resymau dros y weithred
ddisymwth honno, nad oedd yn berchen ar y
gwytnwch angenrheidiol i gyfrannu tuag at
lwyddiant cynllun mor feiddgar. Nid yw arloeswr
yn troi ei gefn ar fenter gan obeithio dychwelyd ati
os bydd eraill yn ei chael i lwyddo. Serch hynny, yn
eironig ddigon, tra bod enwau llawer iawn o'r rhai
a aberthodd gysur, iechyd a bywyd er mwyn y
Wladfa yn pylu yn y cof, cysylltir enw Seth â hi
cyhyd ag y pery'r diddordeb yn yr hanes am fenter
fawr arloeswyr y Mimosa – oherwydd iddo
ddringo bryncyn a chadw dyddiadur.

Nodiadau

[1]Christopher Ralling (gol.), *The Voyage of Charles Darwin* . . . (London,1978), t. 85.

[2]R. Bryn Williams, *Y Wladfa*, (Caerdydd, 1962), t. 22.

[3]150 meddai Michael D. Jones ac Edwin Cynrig Roberts, 152 yw cofnod Lewis Jones, a 153 medd traddodiad. Nid yw'r rhestrau a luniwyd gan Abraham Matthews (152) a R.J. Berwyn (153) yn gyflawn. Lluniodd Berwyn hefyd restr priodasau, genedigaethau a marwolaethau ac enwir ymfudwyr eraill ar honno. Dengys cyfanswm enwau o'r tair ffynhonell bod 162 yn gadael Lerpwl. Eithr, yn ddiweddar, codwyd amheuon parthed dilysrwydd nifer o'r enwau sydd ar restr AM, gan nad yw Berwyn yn eu henwi, ac nad oes sôn fyth eto amdanynt hwy nac am ddisgynyddion iddynt. O anwybyddu'r enwau hynny, a heb gyfrif y rhai a anwyd ar y *Mimosa*, rydym yn ôl o gwmpas 150!

[4]F. Mitchell, Joseph Seth Jones (1845-1912), *Falkland Islands Journal*, Cyfrol 7, Rhan 2, (1998), t. 46.

[5]Llythyr D.E. Jones at R. Bryn Williams, 1 Hydref 1956, llawysgrif LLGC 18200B, t. 1.

[6]Arhosodd nifer mawr o aelodau'r fintai yn Lerpwl o'r pryd hwnnw hyd at i'r *Mimosa* godi angor ar 25 Mai 1865, yn gwario eu harian prin ac yn mynd i ddyledion mawr, fel yr achwynai W.R. Jones mewn llythyr dyddiedig 7 Tachwedd 1865 [*Y Faner*, 22 Medi 1866]. Cefnodd eraill ar y cynllun gan ddychwelyd i Gymru, yn dlotach na phan y gadawsant, heb waith na chartref i fynd iddo.

[7]Nid yw'n eglur pam na wnaeth JSJ rhybuddio'i gyflogwr ynghynt. Roedd wedi trafod ei fwriad droeon

gyda'i gyfeillion, ac eisoes wedi trefnu ei le ar fwrdd yr *Halton Castle.*

[8]Nid yw ymateb Gee i benderfyniad Seth yn gyson a'i gefnogaeth gadarn i ymgyrch M.D. Jones. Cafodd sylfaenydd y Gymdeithas Wladychfaol Gymreig ofod helaeth yng ngholofnau *Y Faner* i hyrwyddo'i achos.

[9]Nid oedd Seth yn ŵr priod. Dichon mai cyfeirio y mae at ei lysfam. Bu farw ei fam ym 1858.

[10]Gadawodd Seth fwlch o fis yn ei ddyddiadur tra'i fod yn aros am ei gludiant. Mae'n amlwg oddi wrth y frawddeg gyntaf mai ar ddiwedd y cyfnod yr ysgrifennodd y cofnod hwn, patrwm y mae yn ei ddilyn mewn mannau eraill yn y dyddiadur.

[11]Pan godwyd y Ddraig Goch ar y prif hwylbren galwodd y Saeson oedd ar y cei am ei thynnu i lawr. Rhoed taw arnynt pan ganodd yr ymfudwyr Anthem Patagonia – ar alaw *God Save the Queen.*

[12]Gwrthododd y Capten George Pepperrell dderbyn cymorth y bad achub a anfonwyd i'w cynorthwyo.

[13]Y Parchedig Robert Meirion Williams, gweinidog gydag enwad y Bedyddwyr. Abraham Matthews a Lewis Humphreys (Annibynwyr) oedd y ddau weinidog arall ar y daith.

[14]Catherine Jane Thomas

[15]James Jenkins

[16]Ni ddaeth yr enw Aberpennar yn gyfredol am rai blynyddoedd wedi hynny.

[17]Ysgrifennodd Cadfan adroddiad llawn a difyr am y digwyddiad hwn. Gweler Elvey MacDonald, *Yr Hirdaith*, (Llandysul, 1999), t. 54.

[18]John Davies, 11 mis oed.

19Morgan Jones
20Rachel Jenkins
21Elisabeth Solomon
22Dywed Thomas Jones fod y Capten, gŵr ifanc braidd yn ddibrofiad, wedi gorchymyn ailgodi'r hwyliau ond fod y prif swyddog, yn dilyn dadl gref, wedi llwyddo i'w berswadio o'r perygl oedd o'u blaen ychydig funudau cyn i'r storm ddisgyn arnynt (*Y Drafod*, 2 Gorffennaf 1926).
23Gwnaed hyn er mwyn ailgyfeirio'r llong oherwydd bod storm wedi'i chwythu tua trichan milltir allan o'i llwybr, yn ôl Thomas Jones (*Y Drafod*, 2 Gorffennaf 1926).
24Llamhidyddion neu ddolffiniaid, mae'n debyg.
25Nid yw'r adnod hon yn Luc. Tybed ai at 'Gweddïwch yn ddi-baid', Thesaloniaid 5:17 y cyfeiriodd y gweinidog?
26Watcyn Wesley Williams
27Y sgwner *Juno*.
28Y sgwner *Helen Mary*.
29Yr unig adeilad cymharol fawr yn y gwersyll. Dywed Thomas Jones ei fod yn mesur 20 medr wrth 5 medr. (*Y Drafod*, 30 Gorffennaf 1926).
30Bisgedi sychion.
31Ni chyrhaeddodd yr anifeiliaid hyn na'u tywyswyr ben eu taith. Ymosododd haid o frodorion arnynt. Lladdwyd y *gauchos*, a dygwyd y gwartheg a'r ceffylau.
32Nid camgymeriad yw'r ffigwr hwn, y mae Seth yn ei danlinellu ac yn ei ailadrodd. Nododd Lewis Jones yr un ffigwr mewn llythyr at Michael D. Jones [*Y Faner*, 16 Awst 1865]. Eithr ni welwyd erioed mo'r anifeiliaid hyn.
33Edwin Cynrig Roberts, Mordaith i Batagonia (Llawysgrif).
34*Yr Herald Cymraeg*, 3 Chwefror 1866

[35]Un o'r ddau arloeswr cyntaf i gyrraedd afon Camwy gydag Edwin C. Roberts nos Iau, 3 Awst 1865. William Jenkins oedd y llall.

[36]Evan Davies (Ifan Dafydd), brodor o Aberporth oedd wedi symud i Aberaman i chwilio am waith cyn ymfudo i'r Wladfa.

[37]Brodor o Lanuwchllyn oedd John Hughes, ond wedi symud i'r Rhos i chwilio am waith. Bu'n aelod o un o'r minteioedd cyntaf i groesi'r paith. Treuliasant wyth noson yn y niwl a'r glaw, a bu yntau farw o effeithiau niwmonia.

[38]Llong o Gaerdydd oedd hon, a ddrylliodd ar y traeth yn 1863, ychydig i'r de o geg yr afon.

[39]Trifa (fferm y tri): tyddyn y ddau frawd a chwaer Watkin William Pritchard Williams, Watkin Wesley Williams, ac Elizabeth Louisa Williams.

[40]Tacluso, trwsio* *

[41]Profwyd nad oedd mwy na rhyw hanner dwsin wedi llofnodi'r ddeiseb hon, a bod arni enwau a llofnodion ffug.

[42]Y *Triton*.

[43]Lewis Jones, *Y Wladfa Gymreig: Cymru Newydd yn Ne'r Amerig*, (Caernarfon 1898), t. 70.

[44]Y Faner, 2 Mehefin 1866.

[45]Llythyr Joseph Seth Jones at ei frodyr Charles a Robert, 8 Chwefror 1867, Llawysgrif LLGC18177C, t. 10.

[46]Llythyr D.E. Jones at R. Bryn Williams 1 Hydref 1956, llawysgrif LLGC 18200B, t. 3.

[47]F. Mitchell, op. cit., t. 48.

Llyfryddiaeth

Llawysgrifau

1. LLGC 18176B (RBW MS 2) *Dyddiadur Joseph Seth Jones.*

2. LLGC 18177C (RBW MS 3) Llythyrau oddi wrth Joseph Seth Jones, o'r Wladfa, Ynysoedd y Malvinas, oddi ar fwrdd yr *Ivanhoe* ar ei ffordd adref i Gymru. Toriad o'r *Abergele and Pensarn Visitor*, 26 Mai 1866, yn cyhoeddi ei lythyr, dyddiedig 1 Mawrth 1866, at ei frawd Charles.

3. LLGC 18196C (RBW MS 21) Llythyrau Joseph Seth Jones, *c.* Ion. 1866-29 Ebrill 1868, o'r Wladfa ac o Ynysoedd y Falkland. Llythyrau Robert Charles Jones o Brymbo, Lerpwl a Guayacan, Chile, at ei frawd, Joseph Seth Jones, a'i chwaer, yn Nhreffynnon, 1872-7.

4. LlGC 18198B (RBW MS 24) Llythyrau Robert Charles Jones at ei frawd Joseph Seth Jones, 1867.

5. LlGC 18200B (RBW MS 26). Llythyr D.E. Jones at R. Bryn Williams, ynghyd â llythyr a gyfeiriwyd at Joseph Seth Jones, 6 Awst 1867, a nodyn am angladd Joseph Seth Jones yn Abergele, 21 Chwefror 1912.

6. LlGC 18197B (RBW MS 23). Llythyrau at Joseph Seth Jones cyn iddo adael am Batagonia, 1865, oddi wrth Robert Charles Jones, D. [H]. Jones, Ffestiniog, Charles Jones a David Williams; un oddi wrth Joseph Seth Jones at David Williams, ac un yn Saesneg oddi wrth Joseph Seth Jones at Charles Jones.

7. Edwin Cynrig Roberts, Mordaith i Batagonia (llawysgrif).

8. Edwin Cynrig Roberts, Hanes y Wladfa ar y Chupat (llawysgrif).

Cylchgronau a Newyddiaduron

1. Llythyrau oddi wth Joseph Seth Jones a gyhoeddwyd yn *Y Faner*, 7 Chwefror 1866, 2 Mehefin a 9 Mehefin 1866.
2. Llythyr oddi wrth Joseph Seth Jones at Charles Jones, *Yr Herald Cymraeg*, 9 Mehefin 1866.
3. F. Mitchell, 'Joseph Seth Jones (1845-1912)', *Falkland Islands Journal*, cyfrol 7, rhan 2 (1998).
4. Thomas Jones, Glan Camwy, 'Hanes Cychwyniad y Wladfa ym Mhatagonia', *Y Drafod*, 18 Mehefin-22 Hydref 1926.
5. Richard Jones, Glyn Du, 'Hanes y Wladfa', *Y Drafod*, 1903, 1913, 1919-20.
6. Richard Jones Berwyn, 'Dyddiadur Lewis Humphreys', *Y Drafod*, Ebrill 1910.
7. Richard Jones Berwyn, 'Restriadau (sic) Deng Mlynedd allan o Lyfr y Rhestrydd', *Y Faner*, 15 Medi 1875.

Llyfrau

1. Lewis Jones, *Y Wladfa Gymreig: Cymru Newydd yn Ne Amerig* (Caernarfon, 1898).
2. Edwin Cynrig Roberts, *Y Wladfa Gymreig ym Mhatagonia*, Cyfrol 1 (Bethesda, 1893).
3. Abraham Matthews, *Hanes y Wladfa Gymreig yn Patagonia* (Aberdâr, 1894).
4. R. Bryn Williams, *Y Wladfa* (Caerdydd, 1962).
5. Elvey MacDonald, *Yr Hirdaith* (Llandysul, 1999).
6. Christopher Ralling (gol.), *The Voyage of Charles Darwin* (London, 1978).

El diario de Joseph Seth Jones

Introducción

Emigrar a la Patagonia era una aventura insensata – o por lo menos así opinaban los opositores del Movimiento Colonial Galés. En posesión de sus facultades nadie se aventuraría a una región vasta y yerma en la cual no había ríos ni lagos ni lluvia para irrigar la tierra – una tierra inadecuada para el cultivo de vegetales, la cría de animales y el sostenimiento de seres humanos. No era necesario más que recordar el comentario de Darwin: *'The curse of sterility is on the land'*[1] (La maldición de la esterilidad cubre a la tierra).

A diferencia de los Estados Unidos de Norte América – destino favorito de los emigrantes europeos – este territorio no había sido colonizado y no lo habitaban sino 'unos pocos indios'.[2] Ésta era precisamente su ventaja para sus partidarios. He aquí una tierra virgen, apta para ser desarrollada y para la creación de la Nueva Gales libre y cristiana de sus sueños incesantes – un país donde los galeses constituirían el 'núcleo formativo' y todas los otros pobladores el 'elemento integrado', según argüía el líder del movimiento. Pero otros creían que trasplantar a un grupo de cristianos protestantes a un país 'pagano' representaba una amenaza mortal para su existencia y pureza moral. Michael D. Jones y sus colaboradores fueron severamente criticados, y se los acusó de enviar a los miembros del primer contingente con los ojos vendados hacia un destino peor que la muerte.

Ignorando consejos y advertencias, y enfrentando una campaña feroz montada en la prensa galesa por los opositores del movimiento, más de ciento cincuenta[3] galeses decidieron emigrar a la Patagonia, sin saber nada más acerca de la región que lo relatado en actos públicos por los dirigentes del movimiento o lo leído en las páginas de la Guía de la Colonia Galesa, preparada por el enérgico secretario, Hugh Hughes (más conocido por su seudónimo bárdico, Cadvan Gwynedd). Su objetivo era el establecimiento de un país donde los emigrantes galeses pudieran mantener su idioma y su religión sin temor a ser dispersados ni obligados a integrarse a pueblos más fuertes.

Entre los intrépidos pioneros que se aventuraron a embarcar el Mimosa leemos el nombre de Joseph Seth Jones, hasta entonces un tipógrafo veinteañero en la Editorial Gee, de la localidad de Dinbych. Él es el autor de este diario. En sus páginas, documentó sus diversas experiencias y los acontecimientos que llamaron su atención durante los períodos 19-26 de abril; 25 de mayo-27 de julio de 1865 y 14-21 de marzo de 1866.

Además del diario, Seth dejó varias cartas que enviara a sus hermanos, el Reverendo Robert Charles Jones (Liverpool), y Charles Jones (empleado del servicio de correos, en Abergele), y algunas que ellos le enviaron a él. Éstas revelan el amor filial, la preocupación del uno acerca de los problemas de los otros, y la disposición constante de los hermanos para apoyar y ayudarse mutualmente en toda necesidad. Esta correspondencia se caracteriza también por la referencia constante a asuntos religiosos, temas que apasionaban a los tres y cuyo tratamiento evidenciaba una profunda convicción cristiana.

Seth – el penúltimo de los ocho hijos de Charles y Jane Jones – nació en la granja de Penanner, en el distrito de Llanfair Talhaearn, condado de Dinbych en el año 1845. Su padre era un pastor laico en la Iglesia Presbítera y, de acuerdo con los requisitos de su vocación, la familia se trasladó cuando Seth contaba con seis años de edad a la localidad vecina de Saron. Allí, junto a Charles y Robert, Seth concurrió a la escuela de Nantglyn – antes de mudarse nuevamente en 1854 a Bodrochwyn Bach, cerca de la ciudad de Abergele, y a la escuela de Llanfair Talhaearn.[4]

Al abandonar sus estudios a los catorce años, Seth fue contratado como aprendiz en el Visitor Office, una imprenta en Abergele. A causa de 'circunstancias en la oficina',[5] renunció a su puesto en 1863 – sin completar su aprendizaje. Es probable que haya consultado a Robert antes de tomar una decisión tan importante, ya que éste le envió una cita textual de un párrafo de los reglamentos que regían el sistema de aprendizaje en la época. Este párrafo explica las condiciones que permitían a un aprendiz librarse de su contrato. Como Seth todavía no había completado su período ni había cumplido sus veintiún años, no podía renunciar sin romper su contrato, pero fue esto exactamente lo que hizo. Pese al desacuerdo, Seth logró mantener una relación amistosa con Robert Jones, su primer empleador, tal como lo demuestran las primeras páginas del diario.

Ni su partida prematura ni el hecho de que todavía no había completado su aprendizaje parecen haberle presentado un obstáculo insuperable a Thomas Gee, propietario de *Baner ac Amserau Cymru* (El Pabellón y los Tiempos de Gales), ya que contrató a Seth como tipógrafo con el salario correspondiente. Ésto llegó a oídos de uno de los empleados de la editorial, quien se lo reprochó a Seth. Para evitar un nuevo desacuerdo, éste ofreció a Gee su renuncia inmediata. El propietario debe de haber tenido una muy buena opinión de su nuevo empleado, ya que rechazó su ofrecimiento. Es posible que la lealtad demostrada por Seth hacia su capilla y su religión fueran más importantes para el muy devoto Thomas Gee que la formalidad de los reglamentos de aprendizaje y empleo. No sabemos cómo fue que Gee logró calmar la agitación de sus empleados, pero éste no fue un problema destinado a ocasionarle mucho desvelo ya que muy pronto desparecería su causa. Atraído por la invitación a participar en el primer contingente de pioneros en una Gales nueva en la Patagonia, Seth se inscribió para el viaje, fue inmediatamente aceptado a las filas y, por segunda vez en menos de dos años, decidió abandonar su empleo. Es posible que haya sido acicateado por el aviso que apareció en la edición del 8 de abril de *Yr Herald Cymraeg*, ofreciendo lugar a '12 hombres jóvenes, acostumbrados a trabajar, y de buen carácter' por un pasaje de £4 financiado con 'un sistema de pago cómodo'.

Esta decisión inesperada les produjo una profunda consternación a sus hermanos. Charles le contestó de inmediato el 17 de abril sugiriéndole que considerara detenidamente lo que estaba por hacer. Era necesario dedicar más tiempo para estudiar este proyecto antes de enfrentar un 'viaje de dos meses para establecer una colonia entre extraños'. De todas maneras, en un gesto característico de la relación entre los hermanos, le ofreció dinero para la aventura. Es evidente que la noticia dejó muy preocupado a Robert, quien también respondió ese mismo día. Expuso sus argumentos con ecuanimidad. Luego de evaluar las ventajas y desventajas de la idea de emigrar a la Patagonia, y de reconocer que no sabía nada acerca de la región, ni del movimiento ni de sus líderes, agregó que admiraba 'el idealismo que ha inspirado a quienes comenzaron la campaña para establecer la colonia . . . Entiendo que el propósito es establecer a los galeses en un territorio aparte, en el cual serán libres, y en donde podrán mantener su antiguo idioma y sus derechos intactos, con el fin de evitar que se dispersen e integren a otras naciones . . . pero corremos el riesgo de que los gobiernos vecinos opriman a nuestra nación'. Cuál había sido la experiencia de otros emigrantes establecidos en regiones cercanas a estados poderosos? Sin excepción, estos les habían 'ocasionado dolor y trastornos'. Agregó, proféticamente: 'Acaso no existe el peligro de que cuando quienes influyen en el gobierno de Buenos Ayres . . . vean el progreso de los galeses y traten de imponer su religión sobre nuestro pueblo, de unir a los galeses bajo su propio gobierno, y posiblemente de imponer sus tasas y oprimirlos?' Más adelante pregunta: 'Acaso no es probable que la nación abastecedora de nuestras provisiones nos vigile en la esperanza constante de que algún día seamos para ella una presa fácil. Quizás digas que miro con demasiada desconfianza a las naciones vecinas. Pero no digo nada que sea contrario a lo cometido por los opresores ingleses contra nuestra valiente nación. No es bueno confiar demasiado en gobiernos extranjeros'.

No fueron solamente sus hermanos los que se asustaron ante la repentina decisión de Seth. Uno de sus hermanos en la fe se despidió de él con el siguiente reproche [en inglés en el original]: 'Mr. Evans opinó que no fuiste muy correcto al no avisarles la noche del

lunes [acerca de tu partida] ya que estabas en la capilla
. . . Todos los que te conocen parecen estar muy
sorprendidos de que te vayas tan lejos . . . Adiós, pobre
Jones, quizás nos encontremos en el cielo . . . '

Es posible que, debido a estas advertencias, Seth
haya reflexionado más acerca del gran paso que estaba
por tomar. Como lo demuestran su diario y sus cartas,
sufrió frecuentes malestares. Consultó con otros
acerca de su aptitud para enfrentar la gran aventura y
acerca de los probables efectos del viaje sobre su
salud. Pese a sus propias dudas, Robert intentó
eliminar las de su hermano:

'Con respecto a tu aptitud física para ir con el
primer contingente, no pienso que el cambio afectaría
mucho a tu salud ni a tu constitución. Eres más fuerte
que yo. Yo soy un viajero bastante bueno . . . no creo
que tengas un estómago tan bueno como el mío para
recibir todo tipo de comidas. Pero, en general, pienso
que el viaje y el cambio de clima no dejarán muchas
huellas sobre tu cuerpo'.

El Reverendo David Lloyd Jones, quien heredaba
el manto de Cadfan como secretario de la Sociedad
Colonizadora, quizo calmar las dudas de Seth acerca
de su aptitud para ganarse la vida en la Nueva Gales:
'Creo que Ud. encajará muy bien en la colonia. No
cabe duda que habrá allí suficiente trabajo liviano'.

Charles también trató de ofrecer un aspecto
positivo. El 2 de mayo comenta: 'Me alegra saber que

David [Dafydd Williams, ver el diario] viaja contigo –
se acompañarán y confortarán el uno al otro'.

Y para alzar su propio ánimo le pidió a Seth un
último favor: 'Espero que te saques una foto antes de
irte, así puedo tenerla para recordarte'.

Seth ya había confirmado sus arreglos. Acababa de
recibir otra carta de David Lloyd Jones (también
fechada el 17 de abril) pidiéndole que no viajara a
Liverpool hasta el lunes siguiente porque 'Intentamos
limitar el período en Liverpool a lo más corto posible
[6] . . . Embarcaremos el martes [25 de abril]'.

Pero quedaba un detalle importante para resolver –
Seth no había avisado a Thomas Gee acerca de su
intención de emigrar y renunciar su empleo. Esperó
hasta después del almuerzo del miércoles 19 de abril
1865, cuando ya estaba apurado para tomar su tren,
antes de darle a su empleador la sorprendente e
inesperada noticia. He aquí donde Seth comienza su
relato.

La historia de mi viaje a la PATAGONIA

Miércoles, 19 de abril de 1865

Partí repentinamente de Dinbych para emprender viaje rumbo a la Patagonia. No mencioné mi decisión en Dinbych hasta hoy – apenas en la oficina y mi alojamiento. Después del almuerzo informé a Mr. Gee[7] acerca de mi intención cuando fui a cobrar mi salario semanal. Él acostumbra pagar antes del almuerzo – o sea un poco antes de la una pero, por alguna razón, no lo hizo esta vez. Él me aconsejó que de ninguna manera [lo hiciera y que] esperara hasta que saliera el próximo contingente, para poder enterarme de la suerte del primero.[8] Daba la impresión de estar totalmente a favor de que yo esperara hasta la partida del segundo contingente.

Me preguntó si yo había prometido ir, a lo que contesté en forma categórica que prácticamente ya lo había hecho; y cuando vió que estaba totalmente decidido a ir me dijo que arreglaría conmigo una vez que hubiera pagado a los empleados. En ese momento le dije que deseaba que lo hiciera inmediatamente, dado que el tren partía dentro de una hora, lo cual hizo.

Advertí la presencia del Reverendo William Morris, de Rhuddlan sentado junto a él. Antes de que me despidiera Mr Gee me instó con muy buen humor, entre bromeando y hablando en serio, a que escribiera un informe acerca de [la colonia en] la Patagonia para el *Faner*, etc., y entonces nos despedimos con un apretón de manos. De la misma manera me despedí de mis colegas, tocaron la campana de la oficina con vigor, y sus vítores sonaron en toda la compañía, tras lo cual me encaminé hacia mi pensión, donde me preparé para la partida. Luego de dividir mis cosas en dos bultos, regresé a la oficina para pedirle a uno de los empleados jóvenes (David Hemar) que me ayudara para ir a la estación. Nos apuramos a llegar, y después de esperar un poco llegó el tren y me despedí de él y de un jovencito que encontramos allí – Hugh Hughes, hijo de David Hughes (Cristiolus Môn) quien recalcó su decisión de ir en el próximo viaje – no estaba libre en esos momentos. Fui a Rhyl y llamé en la pensión de mi amigo Dafydd Williams, pero no había venido al colegio esa semana. De allí, continué rumbo a Abergele y, luego de visitar a mi ex patrón [Robert Jones] fui al hogar de mi hermano [Charles], con el cual dormí esa noche, con quien estuve haciendo planes, etc.

Jueves 20

Estuve ordenando un poco las cosas que tenía guardadas en la casa de mi ex patrón, y regresé a casa en la tarde. Mi padre demostró su oposición [a mi decisión], y mi suegra[9] trataba de disuadirme, pero en un modo más razonable que el de mi padre.

Viernes 21
Partí. William vino a despedirme y, pese a que estaba
mal de salud y muy pobre, me dió una corona. Ojalá
se recupere y venga a la Patagonia (como estuvimos
planeando juntos), y tengamos éxito allí, y vivamos
alegres allí nuestros últimos años. Terminé de empacar
mi cosas en el cofre, y Thomas Evans lo llevó al
estuario en su carro de mula esa tarde, también fui yo
con él a despacharlo (me costó 1 chelín y 6 peniques)
y de allí fui a Rhyl a visitar a mi amigo, pero él todavía
no había llegado. Mientras esperaba, compré el
volúmen de 'Los trabajos premiados del Eisteddfod de
Rhyl'. Luego volví a la casa de mi hermano [Charles]
con el cual estuve hasta la mañana siguiente.

Sábado 22
Salimos temprano al estuario y tomamos el bote del
correo a Liverpool, a donde llegamos alrededor de las
10. Pasamos el día allí yendo a varios lugares. Nos
informaron que era posible que el barco no iba a
zarpar por [palabras omitidas], (quizás más tarde aún,
etc).

Domingo 23
Estuve con Robert en la capilla Bedford, etc.

Lunes 24
Estuve paseando por la ciudad con Charles.

Martes 25
Estuve con Charles esta mañana en varios lugares, y en Birkenhead, y nos pusimos de acuerdo en encontrarnos en la plataforma que sale a Birkenhead, de donde él regresaba a su casa, pero como me confundí no me encontré con mi hermano, y entonces no pude despedirme de él.

Miércoles 26
Desde este momento hasta el 25 de mayo estuve esperando nuestra partida hacia la Patagonia. El *Halton Castle*, el buque con el cual íbamos a viajar no había llegado, y lo esperaban todos los días, pero muy pronto cancelaron el contrato y se pusieron de acuerdo con el *Mimosa*, que estaba en el dique seco Clarence, siendo reparado para el próximo viaje. Estuve en Liverpool esperándolo hasta el 25 de mayo excepto cuando fuí a Penucha, Caerwys con Dafydd Williams – que había intentado viajar conmigo a la Patagonia – y con su madre que había venido a Liverpool para impedir que se fuera. Ésta había sido una decisión repentina (aunque había estado pensando ir a Norte América desde hace mucho tiempo, me parece) porque yo le había escrito. Vino apurado sin avisar a su familia ni a ningún otro, que yo sepa, excepto a su

madre, aunque es posible que no le haya dicho categóricamente que tenía pensado viajar más allá de Liverpool. De todos modos, ella le había rogado que no fuera más lejos, y había viajado a Liverpool con este mismo fin. Volví con ellos el jueves 4 de mayo y me quedé allí, creo que fue hasta la mañana del miércoles siguiente. El Señor Robert Roberts, de Betws estaba en el circuito [pastoral] de [la capilla de] Pen y cefn ese domingo, y estuve conversando con él, y luego estuve en su compañía en la casa de David Owens, de Pen y cefn, tomando el té. Estaba de acuerdo con mi decisión de emigrar, y decía que él también había estado considerando la idea pero que las circunstancias no se lo permitían – ya que su mujer había muerto dejándolo viudo con hijos pequeños.

Comencé el culto para él esa noche, y después del sermón en la sociedad [cristiana], él y otros de los presentes nos dieron consejos valiosos a Dafydd y a mí, en vista de nuestro largo viaje – nos instaron a ser precavidos y a fortalecernos en el Señor, ya que podríamos encontrarnos con nuevas tentaciones – que diferentes países tienen su propias tentaciones – a ser vigilantes ya que podríamos encontrarnos con algunas tentaciones extrañas, etc. No existe una sociedad pura en ningún lugar. Dafydd clausuró [esa sesión de] la sociedad. Durante el tiempo que estuve en L'pool caminé mucho diariamente del Parque a la Oficina de Emigraciones en la calle Unión y al Parque para comer

–a las librerías de libros usados, en donde compré varios libros, como el [nombre omitido] por el Obispo Tomlinson [espacio], 'Oración Común' de Bickersteth, 'El Comerciante Exitoso', 'Persecusión de los Protestantes en España bajo Felipe II' 'Revelación y Ciencia' por Savile, 'El Mensajero Presbiteriano', 'Misionario Patagónico' (2d) 'El Atlas de Londres', 'La Doctrina de la Expiación' (Edwards, de Bala), 'El Predicador y el Oyente', un ejemplar de la 'Antología' y de la 'Antología de los Niños', y varios ejemplares de 'Y Faner', y periódicos, etc; en una casa de empeños en Park Lane compré una escopeta de dos cañones por £2-, una chaqueta, un pantalón de lino y una gorra por 5/-. Compré 2 libras de pólvora, varias libras de perdigones, y una caja de cartuchos, y 50 balas, costaron cerca de 10/-, y un cuchillo 2/-, un par de tenazas 6c, &c. Tijeras de esquilar 2/-. Una cama 2/9. Y varias cosas que no me acuerdo en este momento, oh, ahora sí, 2 Una hoz 2/6; 'A Spanish & English Vocabulary' (1/6) 'La Frugal Ama de Casa Americana', un par de zapatos 8/6, un sombrero 2/6, una pizarra 6c, este cuaderno 1/-, etc., etc. 'El Frenólogo' 2/6; 12 tarjetas de visita por 5/-, etc., etc., etc. Estuve caminando bastante a lo largo y ancho de L'pool. Estuve dos veces en Wavertree. Estuve en varias de sus reuniones [religiosas] durante la semana, en algunas sociedades, una reunión de lectura [bíblica], y sermones. Estuve en Bootle la mañana de un domingo escuchando al Reverendo William Roberts, de Abergele. – Había pasado bastante tiempo desde nuestro regreso a L'pool antes de que Dafydd expresara su desicíon de quedarse [en Gales]; y un joven que había venido con nosotros con el propósito de viajar a la Patagonia [también] se echó atrás en cuanto llegamos [a Liverpool].[10]

Jueves 25 de mayo

El Mimosa se había trasladado desde hacía ya un tiempo del dique seco al muelle Victoria, y esta mañana alrededor de las 10 comenzamos [el traslado] al río. Estuvimos en el río hasta la mañana del domingo.[11]

Domingo 28

Salimos del río alrededor de las 4 de la madrugada. Después de salir del río tuvimos una tormenta de viento. Habíamos salido arrastrados por un remolcador, el cual nos dejó alrededor de las 2 de la tarde en medio de un mar agitado. Me descompuse – como todos los demás, con pocas excepciones. La tormenta continuó durante todo el día. La noche fue tormentosa.[12]

Lunes 29

Se alzó una tormenta alrededor de las 4 de la madrugada. Continuó con una lluvia torrencial que duró hasta un poco antes de la madrugada del martes. Estuve muy enfermo todo el día, y no me levanté de mi cama. Fueron muy pocos los que se levantaron.

Martes 30
Se había calmado mucho, y hacía un día muy hermoso afuera. Muchos se levantaron, pero yo continuaba bastante enfermo y permanecí acostado hasta las 2 de la tarde, cuando apareció el capitán, y uno de los marineros me alzara – con bastante cuidado, debo agregar. Continué bastante enfermizo y débil.

Miércoles 31
Un día hermoso – una navegación excelente.

Jueves 1 de junio
Un día bueno. Una navegación veloz.

Viernes 2
Bastante lluvioso. Envié una carta para mis hermanos desde las Islas Sorlingas, Cornwall (pagué 3 peniques). Ya me había mejorado bastante bien aunque no del todo. En mi carta dije, porque me confundí, que la enviaba de Irlanda en vez de Cornwall; y que pagaba 8 peniques por el correo.

Sábado 3
Un día muy hermoso. Navegamos lentamente.

Domingo 4 (Pentecostés)

Muy hermoso. El mar está totalmente liso. El amanecer de hoy fue extraordinariamente contrastante con el del domingo anterior. Aquél, al comienzo, estaba como poseído de un santo afán por su Creador, como si dijera en su proprio idioma a los elementos – el viento y el mar – 'Ah! díganle a estos valientes, Santificad el día del Señor! Pero hoy, cuando es legítimo que naveguemos, su aparición parecía decirle a los elementos, 'Paz! calma! hagan una pausa hoy; porque este día ha sido dedicado para recordar la resurrección del Príncipe de la vida.'

En la mañana el Capitán leyó el servicio de la Iglesia Anglicana. Escuela [dominical] a las dos. Sermón a las 6 por R. Williams.[13]

Lunes 5

Un día muy caluroso. No navegamos nada. Un servicio de oración. Salieron cuatro en un bote a nadar – el bote no parecía más grande que un pato en el lugar donde nadaban.

Martes 6

Un día muy caluroso. Navegamos rápidamente. Un servicio de oración.

Miércoles 7

Navegamos lentamente. Un día muy caluroso. Un

sermón en el atardecer.

Jueves 8
Un día bueno. Navegamos lentamente. Una reunión de la sociedad a las 2. Un servicio de oración.

Viernes 9
Un día muy bueno. Navegamos muy lentamente. Al atardecer falleció una niña de unos 2 años,[14] hija de Robert Thomas y señora, de Bangor.

Sábado 10
El sepelio de la pequeña fue a las 10 horas de la mañana. Se tiraron los restos al mar en una caja que se hizo con tal propósito, con piedras colocadas en una punta, con la intención de hundirla. A las 10 horas de la noche falleció otro niño – [15] hijo de Aaron Jenkins y su mujer [Rachel], de Mountain Ash.[16] Era màs o menos de la misma edad.

Domingo 11
El sepelio del niño fue a las 8 horas de la mañana de la misma manera que el anterior. Sermón a las 5.

Lunes 12
Navegamos rápidamente.

Martes 13

Avistamos las Islas Madeira alrededor de las 12 horas. Nos dijeron que la isla que veíamos medía unas 130 millas de largo y, a medida que nos acercábamos, estaba cada vez más clara. Estuvimos alrededor de unas 4 o 5 millas de la costa. Vimos un pueblo, y unas casas desparramadas – por lo menos nos dijeron que era eso. Las casas eran todas blancas. La tierra era also parecido a esto:-

Estuve mirándola con un largavistas, y la veía con bastante claridad. A la derecha, se veía lo que parecía un vivero negro. Me pareció ver campos verdes en sus laderas. También vi algo parecido a una choza hecha con matas de tojo (a no ser que fuera exactamente eso), con uno de sus costados como si entrara a la ladera de la loma. La perdimos de vista alrededor de las 8 horas cuando empezaba a anochecer.

Miércoles 14
Un día muy caluroso. Navegamos lento, lento.

Jueves 15
Otra mañana muy calurosa. Sociedad a las 2 horas. Vimos a las Islas Canarias de lejos. Vimos la montaña de Tenerife.

Viernes 16
Una mañana muy calurosa. Hubo un alboroto enorme acerca de [una decisión de] cortar el cabello de las mujeres jóvenes.[17] El Capitán dió una órden con tal fin, excitando enormemente a casi todo el contingente.

Sábado 17
Un viento fuerte. Navegamos rápidamente.

Domingo 18
El Capitán no leyó el servicio hoy, a consecuencia del conflicto [del viernes]. Sermón a las diez. Escuela [dominical] a las 2. Viento fuerte, y navegamos a una

velocidad aproximada de una milla por hora.

Lunes 19
Viento fuerte.

Martes 20
Navegamos a una velocidad de 12 millas por hora. Agarramos un pez volador. Creo que fue en este día cuando el viento sopló al mar lo que había escrito [en este diario]!

Miércoles 21
Vimos varios tiburones.

Jueves 22
Una mañana calurosa. El barco casi no se mueve. Varios de los muchachos se metieron en el mar para nadar, atando una soga al bauprés, el cual bajaba casi hasta el agua, y entonces se sentaban en el fondo. La popa y la proa del barco subían y bajaban alternadamente, [y al bajar, los muchachos] quedaban totalmente sumergidos. Sociedad.

Viernes 23
Un día de calor poco común. No navegamos nada.

Sábado 24
Una brisa fuerte. Vemos un barco.

Domingo 25
Esta tarde hubo un huracán.

Lunes 26
Viento fuerte.

Martes 27
Navegamos rápidamente. Vemos 2 barcos. Falleció un niño,[18] hijo de Robert Davies y su mujer, de Llandrillo.

Miércoles 28
Sepultamos al niño. Vimos un barco. Un bote fue a su encuentro.

Jueves 29
Un viento fuerte.

Viernes 30
Navegamos velozmente.

Sábado 1 de julio
Por lo menos estamos sobre las olas.

Domingo 2
Llueve.

Lunes 3
Muy tormentoso. Llueve muy fuerte.

Martes 4
Navegamos rápidamente. Noches muy claras.

Miércoles 5
Vimos un ave grande – el albatros o algo. Viento fuerte.

Jueves 6
Navegamos lentamente.

Viernes 7
[No hay una entrada en el diario]

Sábado 8
Sondearon el mar – 80 yardas de profundidad. Se levantó una tormenta.

Domingo 9
Un buen día. Vimos tierra, el Cabo [agregado: probablemente el Cabo Fris, en Brasil]. Humphreys bautizó a tres niños. Sermón en la mañana por R. Williams. Mathews predicó al anochecer. Yo había estado bastante enfermo durante las últimas tres semanas: sin embargo, me levantaba todos los días, pero a menudo me sentía demasiado apático y

deprimido para cocinar algo aún si tuviera los elementos necesarios y la comodidad para hacerlo: pero hoy comencé a mejorarme. Estuve bajo atención médica por días – es decir, [el médico] me dio un remedio cuatro mañanas, quinina de un frasco dos veces, y otro remedio más sabroso de un frasco – ésto es todo lo que recibí. El sábado siguiente terminé los remedios que he nombrado. Estaba bastante constipado y tenía cálculos en los riñones [o en la vejiga], sentía mi estómago débil, etc.

Lunes 10
Navegamos rápidamente.

Martes 11
Una mañana oscura y mojada. Rugen los truenos y los rayos se entretejen.

Miércoles 12
Viento desfavorable – el barco se desvía bastante.

Jueves 13
Vemos un barco. Viento fuerte. Mathews basó su sermón esta noche en 2 Corintios VI, el último versículo, 'Porque habéis sido comprados por precio' etc. Comentó que nuestra responsabilidad es alabar a Dios, completamente – con nuestro cuerpo y nuestro espíritu, – y la exhortación para hacerlo es 'Porque &.'

Viernes 14

Vientos repentinos, etc.

Sábado 15

No avanzamos casi nada. El barco no está en la dirección correspondiente. Han estado virando bastante esta semana. He mejorado mucho esta semana. Esta mañana, como ya lo he mencionado, terminé de tomar los remedios. Desde hace dos o tres días, aconsejado por el médico, tomo una media taza de agua salada todas las mañanas antes del desayuno.

He copiado los principales acontecimientos del diario de James Davies, del condado de Mynwy, ya que el viento se llevó al mar lo que yo había escrito – y porque yo, al cabo de unos 4 o 5 días estaba enfermo y apático. Sus notas no son muy detalladas. Hubo varios sermones y reuniones de oración que él no ha anotado – estas cosas han sido desatendidas recientemente en estas anotaciones. También nacieron dos niños después de las muertes – un varón y una niña – los dos de Mountain Ash – un hijo para [Mary y] John Jones,[19] y una nena para [Rachel y] Aaron Jenkins.[20] También el miércoles 28 de junio cruzamos el ecuador. Varios dijeron que no lo cruzamos hasta el domingo siguiente. De todos modos, se dice que una vieja costumbre entre los marineros cuando cruzan el ecuador es divertirse de la siguiente manera:- Dos marineros se ponen unas largas barbas postizas hechas con unas sogas cortas, tiran cohetes el aire; los marineros tiran baldes de agua el uno sobre el otro, etc. Esa costumbre se puso en práctica esta noche. Tiraron agua sobre casi todos los emigrantes, excepto las mujeres y los niños. A mí me echaron unos tres baldazos sobre la cabeza además de un poco sobre lo largo y lo ancho [de mi cuerpo]. Bajé [de la cubierta] un poco antes de que terminaran, lo que ocurrió antes de las nueve. Esperé hasta que llegara la luz antes de acostarme, y entonces me acosté hasta la mañana. Cuando terminaron de arrojar agua, tiraron varios cohetes al aire. Luego, varios de los más respetables estuvieron con el Capitán bebiendo en la cabina, y se comenta que varios de ellos estaban bastante llenos – los cuales no están nombrados en este cuaderno. – A veces hay bastante fricción en nuestro medio. Perdemos varias cosas – algunas accidentalmente, y otras por intención. – Hay mucho recelo, especialmente en las mentes de los más ignorantes y los rapaces, con respecto a si recibirán justicia acquí, etc., con respecto a nuestras raciones, etc.; y desconfiando como los que viajaban con Colón, etc., etc.

Domingo 16

Navegamos bastante bien anoche, por lo menos a veces. Navegamos extremadamente despacio hoy – el mar está bastante calmo. Vino un buen viento al anochecer y de buena dirección, y se fortaleció, soplándonos espléndidamente durante toda la noche. En la mañana predicó el Sr. Humphreys basado en Proverbios XXVII. 12. Hay un versículo similar a éste en el XXII.3. Cada uno de nosotros enfrenta circunstancias que pueden ocasionar su destrucción a menos que sea prudente. Como en el caso de los marineros, por ejemplo: la tormenta comenzará a hundirlos a menos que se refugien en el puerto. Es así con todas las cosas. El [hombre] sensato prevée el mal y actúa en la manera correspondiente, es decir, se oculta para evitarlo; pero el necio prosigue su andar, y debe aceptar las consecuencias, y el castigo, como en el caso de los dos capitanes – uno sobrio y el otro ebrio. Los dos partieron del mismo puerto en la misma dirección.

Se alzó una tormenta, y el capitán sobrio advirtió el peligro y dio la orden de entrar a un puerto cercano, pero el capitán ebrio no advirtió [el peligro] y cuando fue avisado, sin considerarlo ordenaba 'Adelante!' y pese a las advertencias de sus hombres, continuaba ordenando 'Adelante!', hasta que finalmente encallaron y se hundieron todos!! Este mundo está en peligro de caer sobre los rápidos a la perdición; mas demos gracias pues hay un refugio en Cristo! Entrad a la fortaleza, prisioneros esperanzados. Sed sensatos, y no seáis insensatos frente al peligro.

Escuela [dominical] en la tarde. –Reunión de

oración en la noche. Mathews la comenzó leyendo
partes de IV yr V capítulo de la Epístola de Juan,
agregando sus comentarios. Esta epístola es un tratado
verdaderamente filosófico sobre Amar a Dios. La
manera de saber si amamos a Dios es [descubriendo]
si amamos a nuestros hermanos, y otra prueba es si
guardamos sus mandamientos.

Él prefería la explicación que afirma que [Juan]
estaba pensando en el Espíritu del Amor y no en el
Espíritu Santo. 'El amor perfecto desplaza al temor':
'desplaza', no 'ha desplazado', etc., etc.

Lunes 17
Una navegación espléndida. Estiman que estamos en
latitud 38; de manera que hemos pasado el Río de la
Plata pasando frente a la Provincia de Buenos Ayres.
Estuve acostado sobre mi cama hoy desde la mitad de
la tarde hasta la hora de dormir, cuando me metí entre
las sábanas. Continuábamos nuestro viaje viento en
popa. Alrededor de las 8 horas esta noche falleció una
niña[21] de Griffith Solomon y esposa. Tenía alrededor
de un año y medio.

Martes 18
Una navegación excelente anoche. Cuando abrí mi
cofre esta mañana para preparar mi desayuno,
descubrí que alguien había robado mi postre. Tenía
puesta la llave como de costumbre, y no ví que hayan

robado nada más. Alrededor de las 9 horas de la mañana sepultamos a la niña de la misma manera que hicimos con los otros. Continuamos navegando muy bien todo el día.

Reunión de oración en el atardecer. También se alzó un viento fuerte, y la luz de los relámpagos se repetía frecuentemente. [Los marineros] bajaron la mayoría de las velas excepto dos o tres, y continuamos viaje.[22]

Miércoles 19

El viento fuerte continuó anoche durante toda la noche y el mar estaba alto. Continuó de la misma manera durante todo el día – olas enormes – solamente dos o tres velas desplegadas – seguimos al sol rumbo al oeste.[23] Me siento sorprendentemente sano: eternas gracias.

Jueves 20

El barco se sacudió enormemente anoche, especialmente en algunos saltos. Continúa siendo un mar grande – olas como montañas, como dice la gente – y [el viento] sopla bastante fuerte y frío; sin embargo el sol brilla hermosísimo sobre nosotros. Alzaron casi todas las velas esta tarde.

Viernes 21

Vomité una substancia amarillenta y verde, sin

embargo [me siento] bastante sano todo el día como anteriormente. El mar continúa grande, casi como si hubiera crecido, etc. Navegamos rápidamente pero virando bastante estos días. El sol nos visita como antes. Casi todas las velas desplegadas. Reunión de oración en el atardecer.

Sábado 22

[El barco] se sacudió menos anoche. El mar no vomitaba como la mañana de ayer. Como estamos temblando bastante sentimos que el viento continúa bastante frío. Casi no sacude [al barco], pese a que el mar está grande, pero no tanto. Hoy, algunos avistaron una ballena de lejos, y creyeron que era un buque, porque parecía que soplaba vapor, que subía como si fuera humo, pero el segundo de a bordo entendió exactamente lo que era cuando se lo mostraron. Levaron la cadena del ancla, en preparación [para el arribo]. Vi varios peces llamados 'marsopas' o 'tortugas'[24] o algo, se movían con mucha velocidad – en la dirección del barco, pero más ligero. Se movían como si saltaran – a veces a la vista y otras justo al nivel de la superficie. La tarde fue más tranquila – se tranquilizó a medida que se acercaba la noche. Mi fui a la cama bastante temprano hoy – no me sentía demasiado bien. Me había enfriado, me parece. Demoré mucho en calentarme; y estaba medio afiebrado luego de calentarme. Hubo una reunión de oración en el atardecer.

Domingo 23

Hoy no me levanté durante todo el día. Tuve una diarrea durante toda la noche, y continué así todo el día de hoy; y tenía un dolor de barriga bastante fuerte. Servicio a la mañana – el Sr Mathews [basó su sermón] en el Evangelio de Juan XI, 21, 32 – solamemente dos versículos.

Hubo un servicio en inglés a las 14 horas de la tarde. El Sr. R. Williams dió el sermón basado en las palabras esas de Lucas 'Es necesario orar constantemente y sin desmayo'.[25] Servicio de oración en el atardecer.

Lunes 24

La diarrea continuó durante toda la noche, pero fue infrecuente. Me siento mejor hoy. Me levanté entre las nueve y las diez. Fuí al médico, y me dijo que lo mejor que podía hacer era mantenerme lo más abrigado que pudiera; también me dio una medicina para beber en el instante, que tenía bastante buen sabor. La diarrea no me molestó hoy. Había practicado decirle algo parecido a esto al médico esta mañana si hubiera sido necesario: [en inglés en el original] 'Me acosté muy pronto después de la hora del té de la tarde del sábado, y sentí mucho frío. Pasaron horas antes de que me calentara – estuve muy infermo durante esa noche, ayer, y anoche – sentí dolores tremendos de vientre, y cada dolor parecía estar en oposición al otro, lo que causó, me pareció, no sé si lo fue o no, que estuviera extremadamente suelto de vientre'. Me acosté bastante temprano. Hubo un servicio de oración en el atardecer.

Martes 25

Parece que estamos en algún lugar no muy lejos del Golfo Nuevo. Están virando en un lugar que no está a muchos cientos [de millas] del lugar, aparentemente, desde hace ya varios días.

Es muy difícil entrar con estos veleros. – Ahora el día alumbra alrededor de las seis a seis y media, y oscurece alrededor de las cuatro y media a cinco. El día se va estirando.

Miércoles 26

Varios vieron tierra alrededor de las 7 horas de la mañana trepando un poco. La tierra se ve cada vez más clara – estaba muy clara alrededor del mediodía – estiman que es parte de la península Valdés. El barco apenas avanza hoy – está derivando bastante hacia la costa. Estábamos alrededor de una milla de la península entre las tres y las cuarto – la parte cercana a nosotros era la costa norte, y nos movíamos prácticamente en forma paralela a ella. Navegamos muy bien – una brisa grande y favorable. No se ven lomas sobre ella [la península]. Bajaron las velas excepto 3 o 4 o 5 entre las 5 y las 6 [horas]; y estábamos casi en la boca del Golfo Nuevo – los dos lados se veían desde hace rato, o sea Punta Nueva a la derecha, y Punta Ninfas a la izquierda. Entramos al golfo muy pronto después, a la luz de la luna – la cual se puso alrededor de las diez. La península era algo parecido a ésto:-

Algunos decían que habían visto tierra de lejos y sin claridad ayer. – En el atardecer se realizó una reunión de oración.

Jueves 27
Abrimos nuestros ojos en el Golfo Nuevo. Varios se

levantaron alrededor de las 4 horas de la madrugada, haciendo mucho ruido, subiendo y bajando. Una mañana hermosa. Bastante tranquila. Alrededor de la una de la tarde el Capitán junto a cuatro marineros, el médico, y el menor de los Williams, de Birkenhead[26] fueron en un bote hacia la costa. Es una tarde extraordinariamente hermosa – el sol brilla cálidamente – está bastante alto considerando que es invierno. Esta bahía parece ser amplia, se ve como un círculo grande aparte de la apertura hacia el mar. Está rodeado de rocas bajas.

Mide cerca de 50 millas de largo y 30 de ancho. – Entre las 4 y las 5 [horas] el bote regresó, y para nuestra sorpresa y gran alegría traía al Sr Lewis Jones a bordo. Muy pronto después, el Sr. L. Jones nos contó algo acerca de su gestión. Su informe fue bien recibido por la generalidad [del contingente] y superaba nuestras expectativas. Dijo que su éxito fue logrado superando obstáculos poco comunes. Cuando llegó a Buenos Ayres era muy difícil obtener atención, porque la guerra recién había comenzado en Paraguay. Dijo: 'Ustedes saben que durante la guerra entra Inglaterra y Rusia nunca se hablaba más que de Rusia. Así era en Buenos Ayres'. En el Golfo Nuevo tenía 16 casas, y un depósito amplio, 2 carros, 9 caballos, 3 vacas, 500 ovejas, 3 hombres blancos, 1 patagón, una manso, y un negro (Un hindú nacido en Calcuta), 3 o 4 alemanes (que habían sido encontrados en los restos [de un naufragio]en la bahía). El Sr Edwin Roberts lo ayudaba custodiando y preparando. Tenía un barco[27] en la bahía en el cual había traído las ovejas unos dos días antes y que usaba para cargar provisiones, y tenía otro en un lugar cercano[28] – ambos a nuestro servicio. En el depósito[29] tenía 300 bolsas de trigo, 3 toneladas de pan,[30] un poco de cebada, y avena, tenía harina y papas, y muchos víveres, como arroz, azúcar, café, zapallos, [y herramientas agrícolas como] palas, picos, etc., etc., madera, etc. Tenía 500 vacas y 200 caballos que estaban siendo arreados [de Patagones] al Chupat, y esperaba que ya hubieran llegado.[31] Tiene 3000 vacas que vendrán [más adelante] junto a cincuenta mil ovejas.[32] Necesita ir a Del Carmen (Patagones) para terminar de conseguir algunas cosas, como queso, etc., y otras ovejas, además de las cincuenta mil (había comenzado viaje el día en que nos encontramos con él, y ya hubiese ido si no fuera por la falta de viento) etc., etc. Éste es un resumen imperfecto de lo que dijo el Sr. L. Jones.

Interludio

Por segunda vez, Seth interrumpe su relato. Pasarán siete meses y medio antes de que decida retomarlo brevemente el 14 de marzo de 1866. Dejó 50 páginas en blanco, lo cual indicaría una intención de anotar los acontecimientos que ocurrieron en el interín (agosto 1865-marzo 1866). Solamente podemos especular acerca de la causa de esta interrupción, pero es probable que haya decidido copiar más adelante las cartas escritas a sus hermanos – o, quizás, de los diarios de otros colonos, lo que él y otros ya habían hecho. En una breve misiva fechada el 8 de noviembre de 1865, dirigida a Charles explica que no había escrito antes debido a que 'estaba muy enfermo cuando las mandaban y no tenía mi cofre y papel a mi alcance'. Podría haber explicado la causa de su debilidad. Seth había formado parte de uno de los primeros grupos enviados hacia el río para fundar a Caer Antur (luego Trerawson/Rawson). No cabe duda que las peripecias sufridas durante esas semanas merecían una crónica detallada.

Es evidente que el enorme esfuerzo físico hecho por los jóvenes para llegar al río, y el hambre sufrido cuando naufragó la chalupa que transportaba los víveres enviados al valle, los había debilitado seriamente.Varios de ellos volvieron al golfo en busca de alimentos. Los primeros once se extraviaron en la meseta y fueron rescatados milagrosamente. Seth se separó de un segundo grupo y también se perdió. En la planicie conocida en nuestros días como el Bajo Simpson trepó una pequeña loma con la esperanza de ver el mar y orientarse.

En la cima, escrutó el horizonte sin poder divisar la costa. A sus pies, encontró un ave muerta. La cortó en dos mitades – guardó una en su bolsillo y se comió la otra, cruda. Fortalecido, logró orientarse y retomó su camino rumbo al golfo, a donde llegó en muy mal estado. Desde entonces, el pequeño cerro que es claramente visible desde la ruta Madryn-Trelew, es conocido como *Tŵr Joseph* [la Torre de José, erróneamente denominado Loma María por algunos guías de turismo].

El 1 de marzo, Seth cumplió con su promesa y escribió una carta larga en la cual relata el viaje del *Mimosa* incluyendo algunos detalles omitidos en su diario. También describió el panorama desolador que rodeaba al contingente durante las horas del desembarco el 28 de julio. Una de las tareas más tristes encaradas por Seth esa mañana fue excavar la tumba de Mary Jones, la niña de tres años oriunda de Bala que falleciera la noche anterior cuando el *Mimosa* anclaba. También menciona la conmoción causada por la desaparición de Dafydd Williams, el zapatero de Aberystwyth, y los esfuerzos hechos para encontrarlo. Seth es el único que nos cuenta que el indígena al cual Lewis Jones y Edwin Cynrig Roberts describían como el 'patagón manso' salió a caballo a buscarlo.

Varias crónicas relatan que llovía incesantemente esa mañana y que las 16 'casas' mencionadas en el discurso de bienvenida de Lewis Jones no estaban techadas debido a que la madera traída de Patagones no había alcanzado – un descubrimiento que causó un desánimo general. Edwin Cynrig Roberts[33] relata que las madres lloraban mientras buscaban reparo para sus hijos entre el equipaje desparramado sobre la playa. El médico Thomas Greene manifestó estar desconforme porque las familias debían dormir en 'un galpón largo de madera'.[34]

El único edificio que corresponde a esta descripción es el depósito. A los pocos días el equipaje fue trasladado allí. Seth es el único que menciona este detalle, completando el cuadro que pintan Roberts y Greene. De manera que cabe deducir que el Concejo de la Colonia decidió dejar los muebles y las herramientas en la playa para que algunas familias durmieran bajo techo hasta que los carpinteros completaran las cabañas.

Seth nos ofrece una crónica concisa acerca del transporte de los muebles, las herramientas, las provisiones, las mujeres y los niños desde el golfo al río, un proceso espeluznante que duró varias semanas y durante la cual perdió su vida una de las figuras más activas del momento, John E. Davies. A consecuencia de la falta de sentido común y caridad del Capitán Woods, quien mantuvo cautivas a bordo del *Mary Helen* al primer grupo de mujeres enviadas al valle, deterioró la salud de éstas y varios de sus hijos fallecieron a las pocas semanas de completar el viaje. Su ineficiencia también ocasionó pérdidas materiales importantes para la colonia.

Seth hace una referencia superficial al estado financiero de la colonia. Podría haber agregado la escasez y el hambre y los enormes esfuerzos realizados para alimentar al contingente. Tampoco indica las causas del desacuerdo entre el Concejo y su presidente, pero menciona la primera asamblea pública realizada en la Patagonia, la desilusión producida por la partida de Lewis Jones con sus familiares y una media docena de descontentos. Pero las promesas (vacuas, como resultaron) del agrimensor Julio Díaz alimentaron sus esperanzas.

Los festejos del primer festival realizado en Caer Antur el 25 de diciembre de 1865 fueron documentados por Berwyn y John Jones (hijo), pero es Seth el único que lo denomina Eisteddfod, nombre que merece de acuerdo con las descripciones detalladas de los otros dos. Ésta es una fecha que el Eisteddfod del Chubut debería recordar con orgullo.

Otros acontecimientos que merecían entradas en su diario incluían el viaje infructuoso de los ocho exploradores enviados hacia el oeste a fines de diciembre con el objeto de encontrar tierras nuevas; el surgimiento del 'partido emigratorio' dirigido por Abraham Matthews, que pedía el traslado de la colonia a tierras mejores; la desaparición del poeta Iago Dafydd ocurrida en febrero y el regreso triunfante de William Davies a bordo del Denby, la flamante goleta puesta al servicio de la colonia. El presidente traía buenas nuevas: promesas de ayuda y crédito, y una subvención del gobierno nacional de £140 mensuales hasta la próxima cosecha, lo cual alimentaba las esperanzas del 'partido colonial'. Ya en posesión de sus chacras, los colonos comenzaron a arar la tierra y a edificar sus casas con ladrillos quemados en la zona.

Seth elige uno de los momentos más positivos en la historia de los primeros meses de la colonia para retomar su diario – pero solamente por ocho días.

Miércoles 14 de marzo de 1866

Crucé el cauce del río a la pequeña isla que se conoce como 'La Isla de Dafydd John'. Al cruzar, el barro me llegaba hasta la mitad de los muslos. El agua no cubre su lado norte desde hace tiempo, excepto durante la marea alta. Ésta no era una isla completa cuando llegaron los primeros al Chupat, ya que una franja angosta – demasiada angosta para caminarla – la conectaba con la costa sur; pero un hombre llamado Dafydd John[35] abrió un boquete allí con su pala, y la corriente desde entonces se desvió en esa dirección, cada vez con más fuerza hasta que ahora fluye únicamente en esa dirección. Bueno, fuí a esa isla cuando la marea estaba baja, y trabajé allí una pequeña parcela virgen, y coloqué un poste, con la siguiente inscripción, – J.S.J 14/3/66, es decir, Joseph Seth Jones, el décimocuarto día del tercer mes (es decir marzo) del año 1866.

Jueves 15

Estuve con mi socio (Evan Dafydd)[36] y Robert Davies en el otro lado (sur) del río para juntar [ilegible], en una especie de península (que está rodeada de árboles por un lado y por el río el otro), varias millas [río] arriba.

Sábado 17

Esta tarde falleció el Sr John Hughes, oriundo de Rhosllanerchrugog.[37] Estuvo enfermo casi desde el momento del desembarco. Comenzó a mejorar cuando se acercó a la capilla. Se había interesado en la religión anteriormente. Le había demostrado su tendencia al Rev. L. Humphreys durante el viaje pero, entre una cosa y la otra – algo que nos impedía reunirnos como iglesia, etc. – no lo hizo público hasta ahora. Poco antes de fallecer le dijo a su esposa que prefería ir hasta Jesucristo y, además, estaba convencido que iba a ir.

Domingo 18

Servicio como de costumbre.

Lunes 19

Estuve excavando una tumba para John Hughes, y fue enterrado.

Martes 20

Un grupo de nosotros fuimos hasta la costa del mar a juntar unas pocas cosas – cada uno lo suyo – de los restos [de un naufragio].[38]

Miércoles 21

Alrededor de las 5 horas de la tarde de hoy partí hacia el Golfo Nuevo para custodiar las cosas que hay allí. Williams, de la chacra de Trifa[39] iba allí al mismo tiempo para ordenar[40] algunas de las cosas que tiene allí. Acampamos luego de andar unas 10 millas. Como se consideraba que el caballo que tenía yo era bastante manso, y que se quedaría con su compañero aunque no estuviese atado, lo dejé suelto con el caballo de Williams – pero a la mañana siguiente no se veía ni una seña de él. Después de buscarlo [infructuosa-mente] decidimos continuar viaje, turnándonos para cabalgar sobre el caballo de Williams. Así fue, y llegamos para el anochecer. Fuimos directamente, y cacé dos o tres armadillos en el camino.

El último capítulo

La mayoría de los cargamentos enviados a la colonia desde Patagones, Buenos Aires o del exterior eran descargados en el lugar que ya comenzaba a ser conocido como Puerto Madryn y guardados en el depósito hasta ser transportados al valle. En una carta fechada el 8 de febrero Seth explica que su viaje al puerto fue ordenado por el presidente William Davies. Permanecería en el lugar hasta el 3 de abril. Durante su estadía ancló en el golfo el *Fairy*, uno de los barcos dedicados a la caza de lobos marinos que frecuentemente aprovechaban las aguas calmas del golfo para hacer sus repararaciones. La tripulación necesitaba un cocinero, y vieron en Seth el candidato ideal. Él sostiene que desde hacía ya un tiempo había pensado visitar otros lugares cercanos y que había razonado con Ifan Dafydd, su socio, que éste podría manejar solo la chacra mientras Seth visitaba otros centros para estudiar sus posibilades comerciales y establecer contactos. Desde el punto de vista de este joven religioso, la visita del *Fairy* significaba que la providencia intervenía para impulsar el avance de sus planes. Consideró la oferta y, cuando llegó su reemplazante, regresó al valle para ordenar sus cosas. Dejó sus pocos bienes agrícolas con Ifan Dafydd y el cofre que contenía sus libros y su escopeta, entre otras cosas, en manos del presidente, e informó a las autoridades que se alejaba temporariamente de la colonia. Pero pocos días después, cuando subía a bordo del *Fairy* rumbo a las Islas Malvinas, Seth se despedía para siempre de la Patagonia. Fue ésta acaso otra de las tantas decisiones impulsivas que caracterizan sus años jóvenes?

Seth informó a sus hermanos que otro colono, Dafydd John, había conseguido un pasaje gratis en el

Fairy. John era un partidario del 'partido emigratorio' y tenía en su posesión un documento importante para entregarle al capitán: una petición con diecinueve firmas[41] dirigida al gobernador de las islas pidiendo la intervención del gobierno británico para evacuarlos de la colonia. El *Fairy* finalmente arribó a Puerto Stanley el 10 de mayo y es interesante notar que Seth termina su empleo como cocinero, aunque no lo menciona. A los poco días Seth y Dafydd John fueron interrogados por el Gobernador Charles MacKensie y el Secretario Colonial. Seth aseguró a sus hermanos que dijo 'la verdad, toda la verdad, y solamente la verdad'. No ocultó la penurias sufridas desde la partida de Liverpool pero insiste que también había indicado que, con un poco de apoyo, la colonia podía llegar a ser un buen lugar – y que el gobierno en Buenos Aires había prometido ayuda. Agrega que el gobernador despachó un informe a Montevideo tras lo cual la armada británica envió un buque de guerra[42] con 'ropa y varias otras cosas' al Chupat.

Las cartas de Seth se refieren constantemente a sus esperanzas acerca del éxito de la colonia y su deseo de regresar allí cuando 'las condiciones fueran favorables'. Pero juzgando por la copia que cayó en manos de Lewis Jones,[43] el informe elevado por el gobernador de las Malvinas no contiene ningún comentario de carácter optimista o elogioso emitido por Seth.

No podemos dudar de la sinceridad de este joven sensitivo. Se incorporó al movimiento colonial impulsado por sus ideales patrióticos y cristianos, pero su diario y sus cartas nos dejan la impresión de que su formación y su estado físico no lo hacían material adecuado para un proyecto tan ambicioso y audaz, y tan difícil de implementar como era el de colonizar a la Patagonia. El 'trabajo liviano' previsto por el Reverendo D. Lloyd Jones nunca se materializó. En su evaluación del primer contingente, Edwin Cynrig Roberts mantiene que el lugar requería agricultores expertos – en cuanto a los 'artesanos que provienen de los pueblos, especialmente aquéllos que no saben trabajar la tierra, que caiga la plaga sobre la cabeza de casi todos ellos, diría yo!'[44] Seth pertenecía definitivamente a esta última categoría. Sin embargo, siempre domostró buena voluntad y empeño durante su corta estadía en la Patagonia.

Durante su período en las Malvinas, supo ganarse su sueldo trabajando como peón y jornalero, a veces a bordo de los barcos del puerto y otras descargándolos; por lo menos en una oportunidad cortando turba, y en ocasiones de jardinero; y a menudo haciendo 'cualquier cosa para cualquiera'. Según su propio testimonio, nunca se había sentido mejor. Es posible que el trabajo corporal lo haya fortalecido. Sentía que la providencia lo había tratado con caridad desde la partida de Liverpool, y su favor más reciente había sido enviar un barco galés a las islas. A bordo recibió un 'volúmen de sermones de John Elias, antiguamente de Môn . . . Gracias a Dios!'.[45]

Los acontecimientos en el Chupat no habían pintado un cuadro muy atractivo durante el año y varios fracasos fueron seguidos por una cadena de decepciones. Las condiciones deplorables que Seth conoció durante su corta estadía en la colonia todavía no habían desaparecido y los desacuerdos políticos entre los líderes estaban cada vez más polarizados. Esto culminó con el intento de Abraham Mathews y su 'partido emigratorio' de trasladar al contingente a la provincia de Santa Fe – éxodo que fue evitado a último momento gracias a las gestiones de Edwin Cynrig Roberts y R.J. Berwyn, y la dramática intervención de Lewis Jones.

Para noviembre de 1867 hubo un cambio marcado en la percepción de los colonos. El descubrimiento de Rachel y Aaron Jenkins de que la 'tierra negra', desierta e ignorada por los colonos hasta entonces, era tan productiva como los prados verdes de las costas del río – con sólo ser regada como aquéllos – renovó la fe de los colonos en el Chupat.

Pero Seth no había recibido estas buenas nuevas. Había esperado por varios meses que Ifan Dafydd contestara sus cartas para saber si las condiciones habían mejorado lo suficiente como para justificar su regreso a la colonia – pero en vano. Tampoco parece haber disfrutado su estadía en las islas. Los pobladores habían hecho un dios del alcohol, el cual los había cautivado y empobrecido. Además, Robert le había advertido que sería 'una locura de las más grandes que te quedes en ese país, o en la Patagonia, si es que no se te presenta muy pronto alguna perspectiva de algo mejor de lo que has gozado hasta ahora'.

Para fines de 1867, Seth indicó en una carta a sus hermanos que, en cuanto ahorrara lo suficiente para pagar su pasaje, regresaría a Gales. Finalmente, recomendado por el gobierno de las islas, obtuvo empleo como camarero en uno de los barcos que partía rumbo a Liverpool, a donde arribó el 3 de mayo de 1868, tres años escasos desde que el *Mimosa* zarpara del Victoria Dock.

Por los dos primeros años 'hizo algunas changas aquí y allá en la zona',[46] pero alrededor de 1870 fue empleado como cartero en la localidad de Treffynnon, puesto que ocupó por treinta y cuatro años. Permaneció soltero pero, a diferencia del monte que recuerda sus peripecias en la Patagonia, no fue una figura solitaria. Fuera de las horas de trabajo participó activamente en las actividades de su iglesia, la capilla presbiteriana de Rehoboth de la cual fue diácono, y se decidió a ayudar a niños y a los miembros menos afortunados de la comunidad.[47]

Charles, casado y con hijos, continuó viviendo en Abergele. Robert, por su parte, se trasladó a

Guayacán, Chile – acompañado por su mujer – como director de escuela y predicador, donde permaneció por cuatro años (1873-77) antes de radicarse como pastor presbiteriano en Porthaethwy, en la Isla de Môn.

Seth falleció el 17 de enero de 1912. Su sepelio fue atendido por una numerosa congregación, como así también por veinte ministros de distintas denominaciones cristianas – una despedida adecuada para un cristiano tan devoto.

No es posible afirmar que su contribución para la colonia haya sido importante. Tampoco que nunca cejó en sus empeños para realizar los ideales que presuntamente fueron responsables de atraerlo allí. Es posible que las fuerzas que en un principio lo alejaron de su país hayan sido simplemente sus antojos juveniles y su curiosidad. Es difícil evitar la conclusión de que su lealtad hacia la causa fue superficial, y fue escasa la influencia que tuvo su corta estadía en la tierra nueva. Su partida, tanto como su justificación por esa acción repentina, demuestran que no poseía la tenacidad necesaria para contribuír al éxito de un proyecto tan audaz. Un pionero no abandona un proyecto con la esperanza de retomarlo si es que otros logran transformarlo en un éxito. Sin embargo – estraña paradoja – mientras que los nombres de muchos de aquellos que sacrificaron bienestar, salud y vidas en aras del porvenir de la colonia caen progresivamente en el olvido, el nombre de Seth será relacionado al del Chubut mientras perdure el interés en la historia de la gran aventura de los pioneros del *Mimosa* – porque subió a una loma y escribió un diario.

Notas

[1]Christopher Ralling (ed.), *The Voyage of Charles Darwin* . . . (London, 1978), p. 85.

[2]R. Bryn Williams, *Y Wladfa*, (Caerdydd, 1962), p. 22.

[3]150 dijeron Michael D. Jones y Edwin Cynrig Roberts, 152 según Lewis Jones, y 153 cuenta la tradición. Las dos listas preparadas por Abraham Matthews (152) y R.J. Berwyn (153) son incompletas. Berwyn también nos legó un registro de casamientos, nacimientos y muertes en la cual nombra a otros pioneros. El total de los nombres de las tres fuentes demuestran que 162 pioneros partieron de Liverpool. Pero, últimamente, algunos investigadores dudan acerca de la existencia de algunos de los nombrados en la lista de AM, dado que Berwyn no los nombra, nunca más se los menciona, ni se conocen sus descendientes. Si descartamos esos nombres y no incluímos los nacidos en el Mimosa, contamos nuevamente con unos 150!

[4]F. Mitchell, 'Joseph Seth Jones (1845-1912)', *Falkland Islands Journal*, Vol. 7, Sección 2, (1998), p. 46.

[5]Carta de D.E. Jones a R. Bryn Williams, 1 de octubre de 1956, manuscrito LLGC 18200B, p. 1.

[6]Numerosos miembros del contingente permanecieron en Liverpool desde entonces hasta la partida del *Mimosa* el 25 de mayo, gastando su dinero escaso y acumulando deudas, según protestaba W.R. Jones en una carta fechada 7 de noviembre de 1865 [*Y Faner* 22 de septiembre de 1866]. Otros abandonaron el proyecto y regresaron a Gales.

[7]No queda clara la razón por la cual Seth no avisó con antelación a su empleador. Había discutido el tema frecuentemente con sus amigos, y ya había organizando su pasaje a bordo del *Halton Castle*.

[8]La reacción de Gee ante la decisión de Seth no es

consistente con su apoyo continuo a la campaña de M.D. Jones, el fundador del movimiento colonial galés, a quién otorgó un espacio infinito en las columnas de *Y Faner* para promover la causa de la colonia y publicitar el viaje del primer contingente.

[9]'Mam-yng-nghyfraith' (traducción del inglés 'mother-in-law': suegra – 'chwegr' en galés). Seth era soltero. Su madre había fallecido en 1858 y la mujer a la cual se refiere es su madrastra.

[10]Seth interrumpió su diario por un mes mientras esperaba la partida del barco. Es evidente en la primera frase que esta entrada fue escrita al final del mes de espera, método que usará en otros entradas.

[11]Cuando se izó el Dragón Rojo al mástil principal, los ingleses reunidos en el muelle gritaron muy agitados que lo bajaran. El contingente entonó el Himno de la Patagonia, sobre la melodía de *God Save the Queen*. Oyendo las notas de su himno nacional, los ingleses se calmaron.

[12]El capitán George Pepperrell rechazó la ayuda ofrecida por la lancha de salvamento enviada al rescate.

[13]EL Reverendo Robert Meirion Williams, un pastor de la denominación Bautista. Abraham Matthews y Lewis Humphreys (Congregacionalistas) eran los otros dos ministros a bordo.

[14]Catherine Jane Thomas.

[15]James Jenkins.

[16]En inglés en el original. El nombre galés de la localidad (Aberpennar) no fue reconocido hasta muchos años más tarde.

[17]Cadvan escribió una crónica detallada y entretenida acerca de este altercado. [Ver E. MacDonald, *Yr Hirdaith* (Llandysul, 1999), p. 54].

[18]John Davies, de 11 meses de edad.

[19]Morgan Jones

[20]Rachel Jenkins

[21]Elisabeth Solomon

[23]Para retomar la ruta, según Thomas Jones, debido a que la tormenta los había desviado unas 300 millas (alrededor de unos 500 kilómetros).

[24]Es probable que fueran marsopas o delfines.

[25]Este versículo no se encuentra en Lucas. El predicador seguramente se refería a Tesalonicenses 5:17, 'Orad sin cesar'.

[26]Watcyn Wesley Wiliams

[27]La goleta *Juno*

[28]La goleta *Mary Helen*

[29]Un edificio de madera que, según Thomas Jones, medía 20 metros x 5 metros.

[30]Galletas secas.

[31]En realidad, nunca llegaron, ya que un malón indio mató a los arrierors y se llevó los animales.

[32]Esta figura que Seth subraya y repite, no es un error. Lewis Jones nota la misma cantidad en una carta a Michael D. Jones [*Y Faner*, 16 agosto de 1865]. Pero los animales nunca llegaron a la colonia.

[33]Edwin Cynrig Roberts, Viaje a la Patagonia (manuscrito).

[34]*Yr Herald Cymraeg*, 3 de febrero de 1866.

[35]Uno de los dos pioneros que llegó al Río Chubut con Edwin Cynrig Roberts la noche del jueves 3 de agosto de 1865. El otro era William Jenkins.

[36]Evan Davies (Ifan Dafydd), oriundo de Aberporth, se había trasladado en busca de empleo a la localidad de Aberaman, cerca de Aberdâr, de donde emigró a la Patagonia.

[37]En realidad era oriundo de Llanuwchllyn pero, como tantos otros de los pioneros, se había mudado en busca de

empleo. Fue miembro del tercer grupo de hombres enviados del Golfo Nuevo al Río Chupat. Se desorientaron en la niebla y demoraron ocho días en completar el trayecto. Hughes falleció a consecuencia de la neumonía que contrajo durante esa penosa experiencia.

[38]Este era un barco proveniente de Caerdydd que había naufragado en la playa en 1863, un poco al sur de la costa del río.

[39]Trifa (la chacra de los tres): propiedad de los hermanos Watkin William Pritchard Williams, Watkin Wesley Williams y Elizabeth Louisa Williams.

[40]También puede ser traducido como 'arreglar'.

[41]Fue comprobado que de las diecinueve 'firmas', aparentemente sólo una media docena eran genuinas.

[42]El *Triton*.

[43]Lewis Jones, *Y Wladfa Gymreig, Cymru Newydd yn Ne'r Amerig* (Caernarfon, 1898), p. 70.

[44]*Y Faner*, 2 de junio de 1866.

[45]Carta de Joseph Seth Jones a sus hermanos Charles y Robert, 8 de febrero de 1867, manuscrito LLGC 18177C, p. 10. [John Elias había sido un prominente predicador galés].

[46]D.E. Jones a R. Bryn Williams (correspondencia).

[47]F. Mitchell, op. cit., p. 46.

Bibliografía

Manuscritos

1. LlGC 18176B (RBW MS 2) *Dyddiadur Joseph Seth Jones* (El diario de Joseph Seth Jones).

2. LlGC 18177C (RBW MS 3) Cartas enviadas por Joseph Seth Jones, desde la colonia del Chubut, las Islas Malvinas, a bordo del *Ivanhoe* durante su regreso a Gales. Recorte del *Abergele and Pensarn Visitor*, 26 de mayo de 1866, que publica su carta, fechada el 1 de marzo de 1866, enviada a su hermano Charles.

3. LlGC 18196C (RBW MS 21) Cartas de Joseph Seth Jones *c.* enero de 1866 y 29 de abril de 1868, desde la colonia y las Islas Malvinas. Cartas de Robert Charles Jones desde Brymbo, Liverpool y Guayacán, Chile, a su hermano, Joseph Seth Jones, y su hermano, Joseph Seth Jones, y su hermana, en Treffynon, 1872-7.

4. LlGC 18198B (RBW MS 24) Cartas de Robert Charles Jones a su hermano Joseph Seth Jones, 1867.

5. LlGC 18200B (RBW MS 26) Carta de D.E. Jones a R. Bryn Williams, con una carta enviada a Joseph Seth Jones, 6 agosto de 1867, y un recorte del funeral de Joseph Seth Jones en Abergele, 21 de febrero de 1912.

6. LlGC 18197B (RBW MS 23) Cartas a Joseph Seth Jones antes de su partida a la Patagonia en 1865, enviadas por Robert Charles Jones, D. [H]. Jones, de Ffestiniog, Charles Jones y David Williams; una enviada por Joseph Seth Jones a David Williams y una en inglés enviada por Joseph Seth Jones a Charles Jones.

7. Edwin Cynrig Roberts, 'Mordaith i Batagonia' (Viaje a la Patagonia – manuscrito).

8. Edwin Cynrig Roberts, 'Hanes y Wladfa ar y Chupat' (Historia de la Colonia del Chupat – manuscrito).

Diarios y Revistas

1. Cartas enviadas por Joseph Seth Jones y publicadas en *Y Faner*, 7 de febrero de 1866, 2 de junio de 1866 y 9 de junio de 1866.

2. Carta enviada por Joseph Seth Jones a Charles Jones, *Yr Herald Cymraeg*, 9 de junio de 1866.

3. F. Mitchell, Joseph Seth Jones (1845-1912), *Falkland Island Journal*, Vol. 7, Parte 2 (1998)

4. Thomas Jones, Clan Camwy, 'Hanes Cychwyniad y Wladfa ym Mhatagonia' (Historia de los Comienzos de la Colonia en la Patagonia), *Y Drafod*, 18 de junio-22 de octubre de 1926.

5. Richard Jones, Glyn Du, 'Hanes y Wladfa' (Historia de la Colonia), *Y Drafod*, 1903, 1913, 1919-20.

6. Richard Jones Berwyn, 'Dyddiadur Lewis Humphreys' (El diario de Lewis Humphreys), *Y Drafod*, abril de 1910.

7. Richard Jones Berwyn, 'Restriadau (sic) Deng Mlynedd allan o Lyfr y Rhestrydd' (Listado de Diez Años del registro de Casamientos, Nacimientos y Defunciones), *Y Faner*, 15 de septiembre de 1875.

Libros

1. Lewis Jones, *Y Wladfa Gymreig: Cymru Newydd yn Ne Amerig* (Caernarfon, 1898).

2. Edwin Cynrig Roberts, *Y Wladfa Gymreig ym Mhatagonia*, Cyfrol 1 (Bethesda, 1893).

3. Abraham Matthews, *Hanes y Wladfa Gymreig yn Patagonia* (Aberdâr, 1894).

4. R. Bryn Williams, *Y Wladfa* (Caerdydd, 1962).
5. Elvey MacDonald, *Yr Hirdaith* (Llandysul, 1999).
6. Christopher Ralling (gol.), *The Voyage of Charles Darwin* (London, 1978).